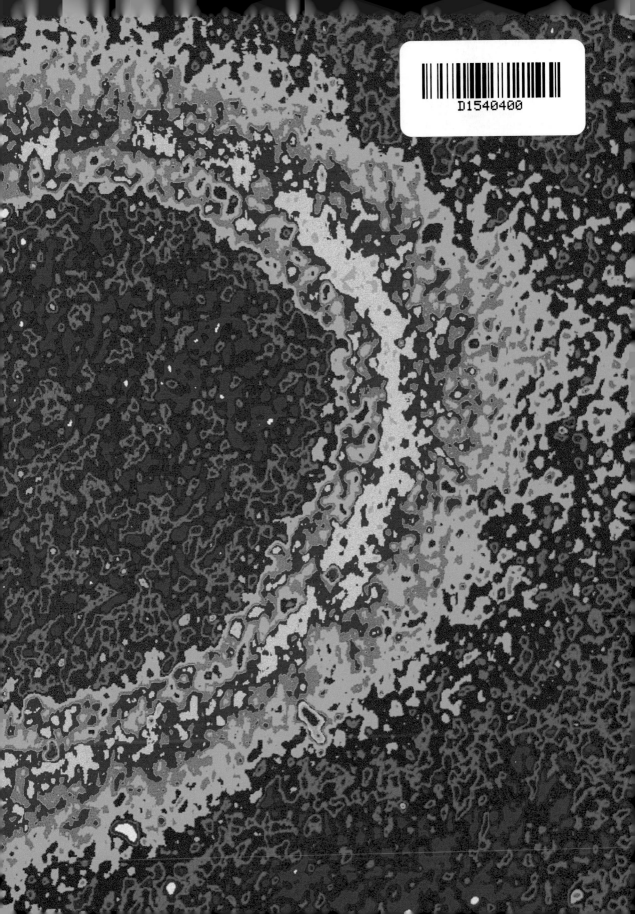

PASTEUR,
des microbes
au vaccin

Cet ouvrage est le fruit de la collaboration
entre les éditions **Casterman** et l'**Institut Pasteur**.

Il est écrit par **Annick Perrot**,
conservateur du musée Pasteur,
et **Maxime Schwartz**,
directeur général de l'Institut Pasteur,
à l'initiative de **Marie-Hélène Marchand**,
secrétaire générale de l'Institut Pasteur.

© Casterman 1999
http://www.casterman.com

ISBN 2-203-14041-0

Maquette, conception et réalisation : Thierry Laurent
Imprimé en Belgique par Casterman s.a. Tournai.
Dépôt légal : octobre 1999 ; D. 1999/0053/249

Repères / Sciences

PASTEUR, des microbes au vaccin

Texte : Annick Perrot & Maxime Schwartz
Illustrations : Jean-Marie Poissenot

casterman

INSTITUT PASTEUR

SOMMAIRE

NAISSANCE D'UNE VOCATION

Né sous la Restauration dans un milieu modeste, Louis Pasteur restera profondément attaché à sa Franche-Comté natale. Très tôt, cependant, Paris l'appelle. Et dans la capitale, les années d'études ne tardent guère à donner leurs premiers fruits.

N ous sommes en 1822. Louis XVIII règne sur la France. Ce 27 décembre, un vent glacé s'engouffre dans les rues de Dole. Dans une simple maison de la rue des Tanneurs, on a chauffé au maximum la petite chambre où un jeune couple attend la venue de son troisième enfant. Un fils est mort à quelques mois, Virginie est née en 1818. Il est deux heures du matin ; c'est un garçon, il s'appelle Louis.

Près de sa femme Étiennette qui se repose, Jean-Joseph Pasteur se penche sur le berceau ; quels rêves d'ambition formule-t-il alors pour ce fils tant désiré ? Sa propre vie a été rude. Né en 1791 pendant la Révolution, orphelin dès sa petite

Auxiliaire indispensable du chercheur, le microscope, en donnant accès à l'infiniment petit, a permis de découvrir un monde inconnu. Le premier, inventé par Leeuwenhoek, est en fait une forte loupe. Objet d'art au XVIIIe siècle, il permet de nos jours des grossissements jusqu'à 1 000 fois, près d'un million de fois pour le microscope électronique.

enfance, Jean-Joseph Pasteur est conscrit en 1811. Soldat discipliné, réfléchi, il ne tarde pas à monter en grade. Le voilà promu caporal, puis fourrier, bientôt sergent-major ; le 12 mars 1814, il reçoit la croix de chevalier de la Légion d'honneur. Mais à peine un mois plus tard, Napoléon abdique et le sergent-major Pasteur, mis à la retraite, regagne avec tristesse Besançon puis Salins.

ENFANT DU JURA

De cette courte épopée impériale, Jean-Joseph Pasteur gardera un souvenir ardent ; Napoléon, homme sorti du peuple comme lui, restera son idole. Les victoires qui se succédaient, les idées nouvelles avaient soulevé son enthousiasme… Le retour paraissait bien sombre.

Jean-Joseph reprend son métier de tanneur et épouse en 1816 la fille d'un jardinier, Jeanne-Étiennette Roqui, avant de s'installer à Dole.

L'homme est fier et opiniâtre, dur à la tâche et passionné par le travail. Bien que son instruction soit rudimentaire, il est tourmenté par le désir d'apprendre, totalement convaincu qu'il faut tendre à améliorer sa condition par la volonté et le savoir. On ne peut douter que cet environnement influencera Louis Pasteur, mais l'enfant puisera aussi ses qualités dans ses origines plus lointaines.

Ses ancêtres forment une lignée de paysans dans le petit village de Reculfoz, tous soumis à la mainmorte, c'est-à-dire au servage. Meuniers à Lemuy, certains quittent les hauteurs du Jura pour la plaine, comme en décide l'arrière-grand-père de Pasteur, Claude-Étienne. Le premier à se libérer de la mainmorte en 1763, il fonde sa famille et s'installe maître tanneur à Salins. Ainsi, Pasteur est descendant de paysans de Franche-Comté et, depuis trois générations, de tanneurs. De ces ancêtres issus de la montagne, ancrés dans un pays qui forge des caractères combatifs, tenaces, il acquiert bien des traits : esprit d'entreprise, solide bon sens… Louis Pasteur est en accord avec son milieu.

Ancien soldat de l'Empire, Jean-Joseph Pasteur établit en 1816 son commerce de peaux dans une modeste demeure longée par le canal des Tanneurs. Surmonté d'une terrasse, le sous-sol affleure les eaux. La maison est aujourd'hui transformée en musée, comme l'est la demeure familiale à Arbois.

Rude métier que celui de tanneur ! Dans la semi-obscurité d'une cave humide, Jean-Joseph épile, écharne, dégraisse, traite à l'alun, polit...
Dans les fosses baignent les peaux soumises à l'action de l'écorce des chênes (le tan), venant de la proche forêt de Chaux. Partout, dans les maisons, dans les rues, se répand la lourde et tenace odeur des cuirs qui persistera longtemps dans le souvenir de Pasteur.

L'APPEL DES ARTS

Après la naissance de Louis, deux filles, Joséphine et Émilie, sont nées en 1825 et 1826, alors que Jean-Joseph a déplacé son industrie à Marnoz, puis à Arbois. C'est dans cette petite ville du Jura que le jeune Louis passe son enfance, années somme toute bien ordinaires.

En marge des études, Pasteur se laisse volontiers entraîner par ses petits voisins dans leurs parties de pêche ou de chasse, mais sans y participer vraiment. La sensibilité, qu'il tient de sa mère, une tendance à la rêverie l'incitent à s'écarter des jeux brutaux. Souvent, il tire un livre de sa poche, s'assied au bord d'un sentier et se plonge dans la lecture.

Au collège, Louis n'est qu'un élève moyen ; il apprend bien mais ne met pas en évidence de dons particuliers. De toutes

*Le cadre de l'enfance et de l'adolescence de Louis Pasteur : les vignes,
le clocher de l'église St-Just à Arbois. Profondément attaché
à la Franche-Comté, il reviendra séjourner à partir de 1874
dans la maison familiale qu'il agrandit et aménage au fil des années.*

les matières enseignées, il marque une préférence pour le dessin, s'essayant à copier des tableaux célèbres.

Un jour de 1835, il entreprend de crayonner au pastel le portrait de sa mère. Le visage fin, les yeux pleins de franchise sont exécutés avec une maîtrise indéniable. Conforté par les encouragements de son professeur de dessin, Louis s'enhardit à dresser le portrait de son voisinage et bientôt confirme sa réputation naissante. L'œil scrutateur de "l'artiste", comme on l'appelle désormais, traque le détail avec une froide lucidité.

LE RÊVE PARISIEN

La gloire des artistes est tentante, mais tellement hasardeuse ! C'est en tout cas l'avis de Jean-Joseph qui caresse pour son fils des ambitions d'une tout autre nature. Même si sa naturelle austérité ne le porte pas à se lier facilement, il ouvre sa maison à un cercle restreint d'habitués qu'il juge dignes d'estime et dont il apprécie l'étendue des connaissances. Parmi eux, le principal du collège, M. Romanet, décèle rapidement les qualités de réflexion et les capacités de Louis ; il sera l'artisan de l'ambition paternelle. Il va même au-delà. Plutôt que de s'arrêter aux études qui mènent à une carrière de professeur au collège, pourquoi ne pas envisager des perspectives d'avenir plus élevées, l'agrégation, l'École normale, Paris ? Éloignement, frais

*Le premier pastel réalisé
par Louis à treize ans est
le portrait de sa mère. Peu
de témoignages nous sont
parvenus sur cette femme
discrète, si ce n'est celui de
son fils qui lui reconnaissait
un courage tranquille et de
l'enthousiasme. Peu avant
de mourir, elle adressera
à Pasteur ces simples mots :
"Quoi qu'il arrive, ne te fais
jamais de chagrin, tout n'est
que chimère dans la vie."*

de pension ? Toutes les réticences qui agitent Jean-Joseph sont balayées. Un ami parisien recommande une pension proche du Quartier latin, impasse des Feuillantines, une école préparatoire tenue par un Franc-Comtois, M. Barbet. Fin octobre 1838, une lourde diligence s'éloigne d'Arbois. Elle emmène un adolescent au cœur serré qui quitte sa famille pour la première fois. Pour une courte durée. Car malgré son bon vouloir, Louis ne pourra s'habituer à une telle séparation. Quelques semaines plus tard, malheureux et déçu certainement mais compréhensif, son père va le chercher dans la capitale.

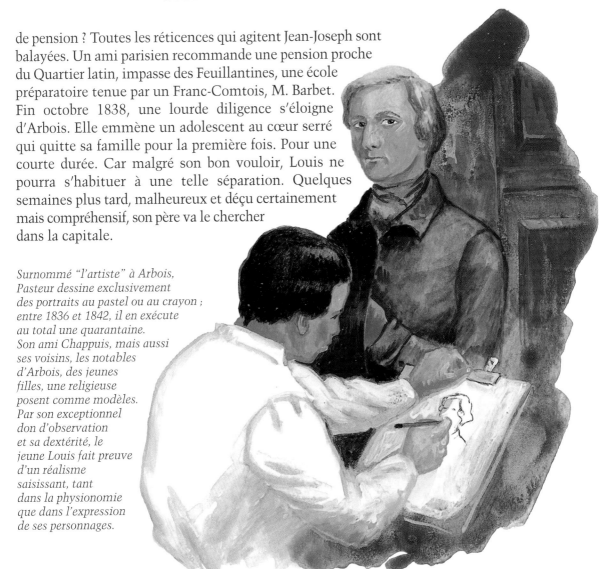

Surnommé "l'artiste" à Arbois, Pasteur dessine exclusivement des portraits au pastel ou au crayon ; entre 1836 et 1842, il en exécute au total une quarantaine. Son ami Chappuis, mais aussi ses voisins, les notables d'Arbois, des jeunes filles, une religieuse posent comme modèles. Par son exceptionnel don d'observation et sa dextérité, le jeune Louis fait preuve d'un réalisme saisissant, tant dans la physionomie que dans l'expression de ses personnages.

UNE RÉSOLUTION INTACTE

Le jeune Louis reprend quelque temps ses boîtes de pastels et termine sa rhétorique. Sous l'amicale pression de M. Romanet, le découragement qui suit l'épisode parisien est vite surmonté. Le rêve normalien renaît et la détermination, cette fois sans faille, est prise. Pasteur poursuivra des études au collège royal de Besançon.

En octobre 1838, encouragé par ses proches, Pasteur part à Paris préparer l'École normale. Cette première séparation qui l'arrache à son environnement familier aura raison de sa volonté. Une sombre mélancolie le submerge. La tentative sera brève. Pourtant, il reprend le chemin de la capitale en 1842, cette fois déterminé à contrôler sa sensibilité et à réussir.

En août 1842, Louis passe son baccalauréat ès sciences mathématiques. L'étude de la chimie lui a été difficile. Ne découvre-t-on pas la mention "médiocre" sur le diplôme en marge de cette discipline, discipline dont il deviendra l'un des maîtres ! La même année, Pasteur est admissible au concours de L'École normale, classé quinzième sur vingt-deux. Insatisfait de ce rang qui ne lui permet d'obtenir qu'une demi-bourse et non une aide entière, il décide de se représenter l'année suivante. Plus résolu que jamais, en octobre 1842, il reprend

*"Je suis fils de tanneur,
il a été mon premier maître
et c'est lui qui a mis en moi
l'amour du travail, et pour
aiguillon du travail l'amour
de la patrie", dira Pasteur.
Louis exécutera son dernier
pastel en dressant le portrait
énergique et austère de
ce père constamment admiré.*

la route et s'installe à nouveau à la pension Barbet, accompagné par son ami Chappuis.

Dans la maison d'Arbois, la veille du départ, il réalise un ultime portrait, celui de son père, où son talent s'exprime comme un aboutissement. Dès lors, il cessera de dessiner, à l'évidence décidé à ne se consacrer qu'aux études. Cette quête impatiente délimite son programme : cours au collège Saint-Louis, répétitions destinées à payer ses propres études, travail dans une bibliothèque voisine le jeudi et, le dimanche, promenade et discussions philosophiques avec Chappuis dans les jardins du Palais-Royal.

« VOUS À QUI JE DOIS TOUT »

Tout au long de sa vie, Louis Pasteur évoquera avec émotion le souvenir de ses parents. À 61 ans, il inaugure par ces mots une plaque commémorative sur sa maison natale :
« Ô ! mon père et ma mère ! Ô ! mes chers disparus qui avez si modestement vécu dans cette petite maison, c'est à vous que je dois tout ! Tes enthousiasmes, ma vaillante mère, tu les as fait passer en moi. Si j'ai toujours associé la grandeur de la science à la grandeur de la patrie, c'est que j'étais imprégné des sentiments que tu m'avais inspirés. Et toi, mon cher père, dont la vie fut aussi rude que ton rude métier, tu m'as montré ce que peut faire la patience dans les longs efforts. C'est à toi que je dois la ténacité dans le travail quotidien. Regarder en haut, apprendre au-delà, chercher à s'élever toujours, voilà ce que tu m'as enseigné. Je te vois encore, après ta journée de labeur, lisant le soir quelque récit de bataille d'un de ces livres d'histoire contemporaine qui te rappelaient l'époque glorieuse dont tu avais été le témoin. En m'apprenant à lire, tu avais le souci de m'apprendre la grandeur de la France. »

À l'évocation de Pasteur nous apparaît immédiatement l'image du savant barbu, grave. Il fut aussi ce jeune étudiant romantique, méditatif, vibrant à la lecture de Byron et de Lamartine, croqué par Charles Lebayle.

Jean-Baptiste Dumas (1800-1884), célèbre chimiste, professeur au Collège de France, à la Sorbonne, enseignant exceptionnel, est le maître écouté des étudiants qui se bousculent à ses conférences. Il assurera Pasteur de son soutien en maintes occasions et sera aussi parrain de son fils Jean-Baptiste, ainsi prénommé en son honneur.

EN APPLAUDISSANT DUMAS

À la Sorbonne, Jean-Baptiste Dumas, l'un des plus célèbres chimistes du moment, attire des centaines d'étudiants enthousiastes. Parmi l'assistance, Pasteur n'est pas le moins conquis. Nul doute que sa vocation se détermine jour après jour au pied de la chaire du brillant orateur.

« Vous ne pouvez pas vous figurer quelle affluence de monde il y a à ce cours. Il faut aller une demi-heure d'avance pour avoir une bonne place, absolument comme au théâtre. Pareillement, on applaudit beaucoup. Il y a six ou sept cents personnes », écrit-il en décembre à son père.

L'ardeur et la volonté mises à poursuivre la voie tracée ne tardent pas à être récompensées. Louis est reçu à l'École normale, cette fois à un rang plus qu'honorable : quatrième de la promotion de 1843. Il a vingt et un ans.

À l'École, on parle alors beaucoup de problèmes de cristallo-

« UN BONHEUR INSOLENT… »

Dès son arrivée à Paris, Pasteur entretient une correspondance régulière avec ses parents. Pour les rassurer, il raconte avec force détails sa vie d'étudiant, ses impressions…

« Je suis le cours de M. Vincent, cours relevé, mais dont on ne peut pas juger encore […] ; le cours de physique n'est pas merveilleux. Ni dans l'une ni dans l'autre classe on n'a encore composé ; cela ne tardera pas. Bien entendu je vous apprendrai de suite quelles sont mes places. […] Je n'ai pas encore commencé les répétitions dans la pension. Je n'aurai qu'une heure le matin de 6 h à 7 h et rien d'autre absolument dans toute la journée ; aucune surveillance. Vous voyez que j'ai un bonheur insolent. Ces répétitions consisteront en interrogations sur les élémentaires. […] Hier j'ai vu cette femme dont on parle tant, Rachel. Elle mérite bien des applaudissements qui lui sont si largement prodigué. Je l'ai vue dans *Marie Stuart*. Il y a eu un moment où elle a été applaudie pendant plus de dix minutes. On frappait des pieds et des mains. Ses traits ne sont pas beaux, mais son énergie la rend superbe. » (22 octobre 1842)

graphie, science nouvelle qui passionne d'autant plus que des phénomènes restent inexpliqués, les connaissances sur la structure moléculaire des cristaux étant controversées, hésitantes…

DE MYSTÉRIEUX ACIDES

Parmi toutes les substances, deux excitent particulièrement l'imagination par l'énigme qu'elles posent : l'acide tartrique et l'acide paratartrique. Cette énigme résultait des travaux de Gay-Lussac, de Berzélius puis de l'Allemand Eilhard Mitscherlich. Jean-Baptiste Biot, professeur au Collège de France, l'énonce clairement dans la note dont il donne lecture devant l'Académie des sciences, le 14 octobre 1844 : selon Mitscherlich, les acides tartrique et paratartrique possèdent la même composition chimique, leurs cristaux revêtent les mêmes formes, les mêmes angles, mais, précise-t-il, la solution aqueuse de ces cristaux réagit différemment à la lumière polarisée. « Une solution de tartrate dévie le plan de polarisation tandis qu'une solution de paratartrate est inactive. » Ce phénomène d'optique, la lumière polarisée, avait été mis en évidence par Étienne-Louis Malus sous le Premier Empire. En regardant à travers un cristal de spath et en le tournant légèrement, il avait constaté les variations périodiques de l'intensité de la lumière réfléchie. Il concluait que la lumière, après s'être réfléchie dans certaines conditions, montrait des propriétés différentes de celles qu'elle avait avant sa réflexion.

Admirée pour son jeu de scène expressif, sa voix profonde et pénétrante, Rachel (1821-1858) est l'une des plus célèbres tragédiennes du XIXe siècle. Interprète des héroïnes de Corneille ou des princesses antiques de Racine, chacun de ses rôles est un triomphe.

Mathématicien et astronome, Jean-Baptiste Biot (1774-1862) reconnaît l'origine céleste des météorites et effectue, avec Gay-Lussac, la première ascension scientifique en montgolfière pour étudier le magnétisme terrestre. Impressionné par les travaux que Pasteur vient de réaliser sur la cristallographie, Biot s'empresse de parrainer cet élève prometteur.

L'ÉTUDE DES CRISTAUX

Tous ces problèmes, ce bouillonnement intellectuel enthousiasment Pasteur autant qu'ils le troublent. Dans ce climat d'intense activité, il s'initie aux manipulations, observe et prépare son agrégation de physique qu'il passe en septembre 1846, reçu quatrième. Le mois suivant, à son grand désespoir, le voilà désigné professeur au collège de Tournon, dans l'Ardèche. L'un de ses professeurs, Antoine Balard, qui l'a remarqué, intervient auprès du ministre de l'Instruction publique pour annuler cette nomination. L'étudiant est intégré comme préparateur dans le laboratoire du maître, lieu propice à la poursuite de recherches qui doivent le conduire au doctorat ès sciences.

« CETTE VILLE DE PARIS, SI BELLE ET SI LAIDE... »

« Je prends deux fois par semaine des leçons de musique vocale afin de pouvoir lire de la musique, et savoir un peu ce que c'est que cet art ; d'autant plus qu'il y a en physique une partie que jusqu'ici j'avais difficilement comprise, parce que je ne connaissais même pas les notes, c'est ce qu'on appelle l'acoustique. [...]
Voilà ce que je fais, mes chers parents, dans cette ville de Paris si belle et si laide sous tous les rapports. Ici, plus que partout ailleurs, se choquent, se croisent la vertu et le vice, la probité et la mauvaise foi, la fortune et la misère, le talent et l'ignorance. Mais quand on a du sang sous les ongles, on y reste le cœur simple et droit comme en un endroit tout autre. [...] Quant à ma santé propre n'y pensez pas. Je n'ai pas encore été une minute malade. N'ayez pas peur non plus que je sorte le soir. Cela ne m'arrive pour ainsi dire jamais et il n'y a pas plus à craindre à Paris qu'en province. » (9 décembre 1842)

Cependant, Pasteur brûle secrètement d'accomplir une découverte personnelle qui le distinguera dans le monde scientifique. C'est décidément la cristallographie qui l'attire. Il choisit d'orienter son travail dans cette discipline et, en particulier, de se concentrer sur l'activité optique de certains cristaux. Lorsqu'il entreprend l'étude de cette nouvelle science, Louis Pasteur pressent-il sa destinée ?

Dans les années 1794-1795, la Convention thermidorienne réorganise ses institutions et crée de nouvelles écoles : École polytechnique, Conservatoire des arts et métiers, l'École normale supérieure. D'autres suivront, l'École de Santé de Paris, les écoles centrales ancêtres des lycées, le Bureau des Longitudes, le Conservatoire de musique, l'Institut de France... Quand Pasteur intègre en 1843 l'École normale, il inaugure les nouveaux bâtiments, installés rue d'Ulm, non loin du Panthéon.

UNE QUESTION OBSCURE

Le 23 août 1847, il soutient ses deux thèses, celle de chimie intitulée *Recherches sur la capacité de saturation de l'acide arsénieux*, celle de physique consacrée aux *Études des phénomènes relatifs à la polarisation rotatoire des liquides*. Dans ce dernier travail, Pasteur souligne « l'importance des recherches physiques pour éclairer bien des questions encore obscures de la chimie ». Observation prémonitoire de ce que seront ses travaux futurs où se révélera justement l'interdépendance des diverses branches de la science.

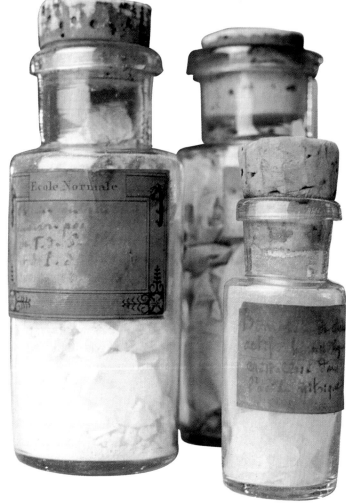

Pour présenter ses travaux aux Sociétés savantes, Pasteur matérialise des modèles de cristaux en trois dimensions, en bois, en carton, en liège, qu'il taille au couteau.

Ses études sur la cristallographie conduisent Pasteur à lier cette branche de la physique encore balbutiante à la chimie. Il doit rassembler de nombreux échantillons. De ces cristaux de soude et d'ammoniaque va émerger la distinction entre le monde vivant et minéral.

Dans cette thèse également, il aborde la fameuse énigme posée par Mitscherlich. « Débarrassé du doctorat », comme il l'écrit à Chappuis, Pasteur est impatient de pousser plus avant cette recherche et d'approcher peut-être son rêve de grand exploit. En fait, une telle curiosité va le précipiter dans les mystères de l'origine de la vie et, dès ce moment, l'entraîner de la structure des molécules jusqu'à l'étude des microbes et l'invention des vaccins.

La note de Mitscherlich, qu'il connaît par cœur, l'obsède littéralement. La question qui mobilise les plus grands chercheurs est bien là : comment deux substances chimiquement et physiquement identiques peuvent-elles présenter des propriétés optiques différentes ?

Grâce à cette triple loupe, Pasteur trie manuellement les deux formes de cristaux de l'acide paratartrique. La simplicité des moyens alliée à l'œil exercé lui permet de découvrir cette particularité singulière du paratartrate qui, jusque-là, se dérobait aux savants les plus experts.

UNE AFFAIRE DE FACETTES

Pourquoi cette divergence ? Ne peut-on l'expliquer par une différence de constitution, s'interroge Pasteur. Aussitôt, il s'attache à chercher dans la forme des cristaux ce qu'il pressent être la solution de l'énigme. Sous le microscope, il examine minutieusement différents sels de tartrate et de paratartrate. Et il découvre un détail infime, jusque-là négligé par tous les observateurs : au lieu d'être une forme géométrique parfaite, les cristaux d'acide tartrique présentent sur l'une de leurs arêtes une petite facette dissymétrique.

Pasteur croit alors détenir la clé du mystère : « La dissymétrie du tartrate correspond à sa dissymétrie optique. » Il conclut, logiquement, que si les paratartrates sont inactifs sur le plan de la lumière polarisée, c'est qu'ils ne possèdent pas de facettes. Pour être logique, sa déduction n'en est pas moins hâtive. À sa stupéfaction, l'examen des cristaux de paratartrate révèle qu'ils portent tous les facettes de la dissymétrie. Mais avec l'émotion que l'on imagine, le jeune savant s'aperçoit que ces cristaux ne sont pas tous identiques ; les uns ont une facette qui s'incline à droite, les autres une facette qui s'incline à gauche !

Avec soin, Pasteur trie sous la loupe les deux formes de cristaux et observe leurs solutions respectives au polarimètre.

Il remarque alors que l'acide droit dévie la lumière polarisée à droite, l'acide gauche la dévie à gauche et le mélange à poids égal des deux acides n'a plus d'action sur la lumière polarisée parce qu'il reconstitue le paratartrate.

PREMIER SUCCÈS

L'excitation est à son comble. Le cœur battant, Pasteur quitte son laboratoire en courant et embrasse le premier préparateur rencontré dans le couloir. La nouvelle étant d'importance, elle se répand rapidement, Balard la commente dans le cercle scientifique, Jean-Baptiste Biot en est bientôt informé.

Le vieux savant (il a 74 ans) est intéressé mais s'étonne qu'un jeune diplômé frais émoulu ait triomphé si vite d'un problème que n'ont pu résoudre des chercheurs plus avertis. Attentif cependant à encourager des résultats prometteurs, il accepte de les vérifier.

Rendez-vous est pris au Collège de France où demeure Biot. Cristallisoir, polarimètre, éléments de soude et d'ammoniaque… tout est rassemblé pour que la préparation soit soumise au jugement sans indulgence du savant. De cette entrevue, qui conditionne la reconnaissance de ses pairs, Pasteur gardera un souvenir impérissable : « Biot plaça d'abord dans l'appareil la solution la plus intéressante, celle qui devait dévier à gauche. Sans même prendre de mesure, par l'aspect seul des

On doit à Biot l'invention du saccharimètre (du lat. saccharum *: sucre) et son application à la recherche du diabète. L'instrument adapté à d'autres applications devient polarimètre.*

LA POLARISATION ROTATOIRE

« Quand un rayon lumineux traverse un cristal de spath d'Islande, il se dédouble en deux rayons et, si l'on vient à faire tomber l'un de ces deux rayons sur un second cristal de spath, il arrive que, suivant l'orientation de ce second cristal, le rayon passe sans se dédoubler, ou bien il se dédouble en deux faisceaux d'intensité différente, ou bien encore il s'éteint.

En traversant le premier cristal, le rayon lumineux a donc subi une modification, puisque en traversant le second il s'est comporté de façon différente. On dit qu'il est polarisé. Le plan dans lequel il faut placer l'axe du second cristal pour éteindre le faisceau lumineux constitue le plan de polarisation.

Si, le second cristal de spath étant placé dans la position de l'extinction, on interpose sur le trajet du rayon lumineux polarisé une lame de quartz ou une cuvette de verre à faces parallèles contenant une solution de glucose ou de certaines autres substances, on constate que ces substances font dévier le plan de polarisation tantôt à droite, tantôt à gauche, ou qu'elles ne le font pas dévier du tout. On dit alors qu'elles ont un pouvoir rotatoire droit ou gauche, ou qu'elles sont inactives. » Albert Calmette. *Le salon Pasteur*, 1900.

deux images ordinaire et extraordinaire de l'analyseur, il vit qu'il y avait une forte déviation à gauche. Alors très visiblement ému, l'illustre vieillard me prit le bras et me dit "Mon cher enfant, j'ai tant aimé la science dans ma vie que cela me fait battre le cœur." »

UNE HYPOTHÈSE RÉVOLUTIONNAIRE

Définitivement convaincu, Biot se pose en parrain scientifique de Pasteur et l'encourage à communiquer sa découverte à l'Académie des sciences. Ce qu'il fait le 22 mai 1848 sous le titre *Recherches sur la relation qui peut exister entre la forme cristalline, la composition chimique, sur la cause de la polarisation rotatoire.*

Ces travaux conduisent Pasteur à émettre une hypothèse révolutionnaire, ouvrant une large brèche dans les mystères de la vie. Il postule que ces deux formes de tartrate correspondent à deux configurations spatiales différentes des atomes au sein de la molécule, deux formes asymétriques par elles-mêmes, mais symétriques l'une par rapport à l'autre, comme le sont

*Le paratartrate est constitué
à parts égales de deux formes
de tartrates dissymétriques,
gauche et droite.
C'est cette singularité
qui le rend inactif
sur la lumière polarisée.*

Placés devant une glace, certains objets renvoient une image qui leur est superposable : ils ont un plan de symétrie. D'autres donnent une image inversée, non superposable : ils sont dissymétriques. Par exemple, la main droite ne peut être superposée à la main gauche, de même la main droite donne dans une glace l'image de la main gauche. Ainsi les deux formes de tartrate, gauche et droite, qui composent le paratartrate sont en apparence identiques mais non superposables.

nos deux mains. Deux molécules contenant les mêmes atomes, reliés entre eux par les mêmes liaisons, peuvent cependant différer par la disposition de ces atomes dans l'espace. Cette hypothèse, qui ne recevra confirmation définitive que trente ans plus tard avec l'établissement de la notion de carbone asymétrique, fonde la stéréochimie.

Or – et cela permet de mesurer l'extraordinaire fécondité de ce concept –, on sait aujourd'hui que la spécificité des interactions entre molécules biologiques – et donc tous les processus de la vie – résulte de l'arrangement tridimensionnel précis des atomes dans ces molécules.

« LA FRANCE EST SUR UN VOLCAN »

Cette première découverte donne la mesure de l'intuition de Louis Pasteur et de ses qualités fondamentales de grand expérimentateur.

Cette année 1848 devait être pour lui riche en événements aux profondes résonances.

L'étude des cristaux ne l'isole pas complètement du monde extérieur. Et ce monde bouge : après la proclamation de la IIe République le 24 février et la mise en place d'un gouvernement provisoire où domine la silhouette de Lamartine, ce sont les élections d'avril. L'étudiant prend une part enthousiaste aux mouvements de cette période agitée et s'enrôle comme garde national. Lorsque, sur la place du Panthéon, s'élève un autel de la Patrie, il y apporte en offrande 150 francs, toutes ses économies. « Je quitterais Paris avec regret en ce moment.

1848, LE PRINTEMPS DES PEUPLES

La révolution de juillet 1830 avait institué la monarchie constitutionnelle de Louis-Philippe, celle de 1848 la renverse. À l'origine des manifestations, un système électoral injuste, une opposition bâillonnée, des libertés données au compte-gouttes. Plus de mille barricades s'élèvent dans la capitale ; l'insurrection est générale. La république est proclamée le 24 février, le gouvernement provisoire décrète le suffrage universel le 5 mars. Sous la pression des mouvements socialistes, deux émeutes éclatent le 17 mars et le 16 avril. Lamartine, par son éloquence, parvient à contenir l'agitation populaire jusqu'à l'insurrection de juin où l'autorité passe au général Cavaignac, qui réprime l'émeute. Le 10 décembre, le prince Louis-Napoléon Bonaparte, neveu de l'Empereur, est élu président de la République, prélude au coup d'État du 2 décembre 1851 qui le mènera à la restauration de l'Empire et au titre de Napoléon III.

Le 24 février 1848, le palais des Tuileries est attaqué. La République est proclamée. La révolte gronde, des manifestations populaires envahissent les rues de Paris.

Ce sont de beaux et de sublimes enseignements que ceux qui se déroulent ici sous les yeux. Je m'aguerris aussi à tous ces bruits de combats, d'émeute et, s'il le fallait, je me battrais avec le plus grand courage pour la sainte cause de la République », écrit-il à son père le 16 avril.

Une telle ferveur républicaine est rapidement refroidie par l'ancien soldat de l'Empire qui aime l'ordre avant toute chose. La réponse vient immédiate et ferme : « La France est sur un volcan et le foyer est Paris. Je te donne pour conseil de rester à l'écart. » Le conseil a des allures d'injonction. Le fils docile laisse alors les événements suivre leur cours et retourne au laboratoire.

Fin mai, sa mère meurt subitement. Le chagrin anéantit Pasteur et suspend pour plusieurs semaines toute volonté de travail. À la rentrée de 1848, il est nommé professeur de physique au lycée de Dijon. Affectation qui ne l'enchante guère. Une fois encore, les démarches influentes de ses protecteurs Biot et Balard agissent efficacement : Pasteur quittera l'École normale, mais pour Strasbourg, où un poste de professeur suppléant de chimie l'attend à la faculté des sciences.

UNE ŒUVRE EN FERMENTATION

*Professeur de chimie à Strasbourg
puis à Lille, bientôt de retour à Paris,
Louis Pasteur approfondit ses recherches.
Parti des cristaux, son intérêt se tourne
vers les problèmes de la fermentation
et la découverte des germes.*

*Le microscope est l'arme
dominante dans l'arsenal
du laboratoire, le ballon
le complément indispensable.
Les milieux de culture
dans les ballons recréent
les conditions extérieures.
Pasteur y observe la vie
intime qui se développe,
transforme la matière.
De cet équipement sommaire
vont sortir la notion des
germes, organismes vivants,
et la condamnation
sans appel de la théorie
de la génération spontanée.*

En janvier 1849, Louis Pasteur, âgé de vingt-six ans, s'installe dans la capitale alsacienne et se présente, comme le veut la coutume, au domicile du recteur de l'académie, M. Laurent. Le foyer qui l'accueille est simple et bienveillant. Jusqu'alors, Pasteur a concentré son énergie vers un seul but, le travail ; peu de dérivatifs l'écartent de son acharnement à réussir : n'a-t-il pas décidé qu'il « ne se marierait de longtemps » ? Mais le recteur a trois filles et Louis vient de remarquer Marie. Le voilà jeune homme amoureux, perturbé, paralysé d'angoisse à l'idée qu'il pourrait déplaire.

Son apparence froide et gauche n'est pas de celle qu'on attend d'un séducteur conquérant. Apparence seulement. Le timide

UNE DEMANDE EN MARIAGE

« Une demande d'une haute gravité pour moi et pour votre famille vous sera faite sous peu de jours. […] Ma famille est dans une position aisée, mais sans fortune. Je n'évalue pas à plus de cinquante mille francs ce que nous possédons. Tout ce que je possède c'est une bonne santé, un bon cœur et ma position dans l'Université. […] Quant à l'avenir, tout ce que je puis en dire, c'est que, sauf un changement complet dans mes goûts, je me consacrerai à des recherches chimiques. J'ai l'ambition de revenir à Paris lorsque par mes travaux scientifiques je me serai acquis quelque réputation. M. Biot m'a parlé plusieurs fois de songer sérieusement à l'Institut. Dans dix ou quinze ans peut-être je pourrai y songer si je continue à travailler assidûment. De ce rêve autant en emporte le vent ; ce n'est pas lui qui me fait aimer la Science pour la Science. Mon père viendra lui-même à Strasbourg faire ma demande en mariage. Personne ici ne connaît ma démarche et je suis assuré, Monsieur, que si me refusez, sans rien perdre de votre estime, ce refus ne sera connu de personne. »

cache un soupirant pressé. L'idylle est promptement menée : le 10 février 1849, quelques semaines après sa rencontre avec Marie, Louis Pasteur demande sa main. Le mariage est célébré le 29 mai à Strasbourg en l'église Sainte-Madeleine.

SUR LES ROUTES D'EUROPE

Sa tendre affection pour Marie est sincère et jamais ne se démentira, mais l'intermède romantique est vite absorbé par la poursuite des travaux dont le rythme s'accélère. Marie

Fille du recteur de l'université de Strasbourg (ci-dessous, la ville et sa cathédrale), Marie Laurent accepte d'emblée que la science passe au premier plan des préoccupations de son mari. "Elle fut une compagne incomparable pour Pasteur et son meilleur collaborateur", résumera Émile Roux.

Pasteur sait que son existence sera calquée sur celle de l'homme qu'elle vient d'épouser. Soutenir ses combats, ses épreuves, encourager et supporter, écouter ses rêves, aplanir les soucis quotidiens, bref accepter de rester dans l'ombre pour l'aider à exprimer son génie.

Parallèlement aux cours qu'il professe, le jeune marié retourne à l'étude des cristaux. Étude à peine interrompue, le 2 décembre 1851, par le coup d'État de Napoléon III, dont Pasteur s'affirme "très partisan".

L'acide paratartrique, dénommé aussi acide racémique, n'avait jamais pu être reproduit. Sa mystérieuse origine taraude l'esprit de Pasteur. Or, en 1851, la Société de pharmacie de Paris propose un prix de 1 500 F à qui produira cet acide. Le défi est séduisant, le prix attrayant.

En août 1852, une heureuse rencontre chez Biot va décupler son zèle. Mitscherlich, de passage à Paris, lui apprend qu'un fabricant de Saxe obtient de l'acide paratartrique à partir de tartres qui, pense-t-il, provient de Trieste, en Italie. Pasteur s'enflamme et, prêt à aller "jusqu'au bout du monde", part dès septembre pour une chasse éperdue à travers l'Allemagne et l'Autriche : Cologne, Leipzig, Zwichau, Dresde puis Vienne et Prague, de ville en ville, il enquête, prend des notes... L'acide racémique demeure insaisissable. Qu'importe, de retour à Strasbourg, il entreprend de le réaliser lui-même.

À LA FACULTÉ DE LILLE

De patientes expériences en essais minutieux, en chauffant plusieurs heures très fort (170 °C) le tartrate de cinchonicine, Pasteur triomphe. L'abîme qui le désespérait est franchi. Le 24 mai 1853, il télégraphie à Biot : « Je transforme l'acide tartrique en acide racémique. Communiquez je vous prie à MM. Dumas, Sénarmont ! » Quelques jours plus tard, le prix est dans la poche, et fort bienvenu ! La moitié de la somme est aussitôt consacrée à l'achat de matériels et d'instruments, car au laboratoire les moyens sont limités. Le retentissement de ses travaux lui vaut une première reconnaissance officielle, la croix

La fièvre de trouver le mystérieux acide racémique lance Pasteur d'une ville d'Europe à l'autre. Prague (ci-dessous) est l'une des étapes de ce voyage plein de péripéties. Quête inutile. Désappointé, fatigué, il rentrera en France sans en avoir trouvé trace. Mais un journal relate, lyrique : "Jamais trésor, jamais beauté adorée ne fut poursuivie à travers plus de chemins et avec plus d'ardeur."

*Neveu de l'empereur
Napoléon Ier,
Louis Napoléon Bonaparte
(1808-1873) joue habilement
de son nom pour se faire
élire président de
la République en décembre
1848. Trois ans plus tard,
un coup d'État lui permet de
rétablir la dignité impériale
et de jouir d'un pouvoir
absolu. Homme d'ordre,
fils d'un soldat de l'Empire,
Pasteur approuve sans réserve
la politique de Napoléon III,
qu'il rencontre à plusieurs
reprises et dont le soutien
le flatte. Il admire également
l'impératrice Eugénie,
à qui il dédie en 1869
ses Études sur la maladie des
vers à soie.*

de la Légion d'honneur en 1853. Et, marque de confiance, une nouvelle affectation : en septembre 1854, Pasteur est nommé professeur et doyen de la faculté des sciences de Lille, nouvellement créée.

Cette nomination va l'engager dans une direction imprévue, mais qui s'avérera déterminante pour la suite de sa carrière : l'étude des fermentations.

Un décret impérial du 22 août 1854 recommande que l'enseignement réponde aux intérêts de l'industrie locale. Pasteur va s'y employer. Le pragmatisme latent du théoricien ne demande qu'à s'exprimer.

*Les enfants de Pasteur
en 1862 : Jean-Baptiste,
Cécile, Marie-Louise.
Louis Pasteur et Marie auront
la douleur de perdre trois
de leurs cinq enfants jeunes.*

LES ENFANTS
DE LOUIS ET MARIE PASTEUR

- Jeanne (Strasbourg, 1850 - Arbois, 1859)
- Jean-Baptiste (Strasbourg, 1851 - Paris, 1908)
  Épousera Jeanne Boutroux (1854-1932)
- Cécile (Strasbourg, 1853 - Arbois, 1866)
- Marie-Louise (Paris, 1858 - Paris, 1934)
  Épousera René Vallery-Radot (1853-1933) dont elle aura
  deux enfants : Camille (1880-1927) et Louis (1886-1970)
- Camille (Paris, 1863 - Arbois, 1865)

Dans son discours d'ouverture à la faculté, il annonce nettement, comme une profession de foi, qu'« il n'y a pas différentes sortes de sciences ; il y a la science et les applications de la science, liées entre elles comme le fruit à l'arbre qui l'a porté ». L'idée fera son chemin, Pasteur en sera le grand propagateur. Et pour commencer, il mobilise ses étudiants, les entraîne dans le département du Nord, en Belgique, au cœur même des usines, là où l'on comprend le mieux que science et application doivent s'unir et s'enrichir mutuellement.

Professeur à Lille, Pasteur entraîne ses étudiants sur le terrain, dans les usines et les ateliers, reliant théorie et pratique. Innovation alors inouïe, il crée des cours de perfectionnement avec manipulations. Deux cents auditeurs suivent les cours, vingt élèves participent aux travaux pratiques.

« PLONGÉ DANS LE JUS DE BETTERAVE... »

Un jour de l'automne 1856, M. Bigo, propriétaire d'une fabrique d'alcool de betterave installée près de Lille, contacte Pasteur pour lui demander son aide. L'industriel est désespéré : pour des raisons inconnues, sa production d'alcool s'altère au cours de la fermentation.

LA DISSYMÉTRIE, C'EST LA VIE

Les ferments ont sélectionné "leur" nourriture. Ils ont reconnu dans le tartrate droit des organisations de molécules orientées vers la droite, donc asymétriques comme eux.
Constatant que tous les composés dont les solutions dévient la lumière polarisée proviennent de sources végétales ou animales, Pasteur en vient à penser que l'asymétrie est la marque de la vie. La biochimie et la physique du XXᵉ siècle ont confirmé que les molécules asymétriques ne sont produites que par des êtres vivants. Pourquoi ? Une telle énigme reste à résoudre.

Étonnant savant que le baron allemand Justus von Liebig (1803-1873), l'un des pères de la chimie moderne. Formé à Paris dans le laboratoire de Gay-Lussac, il rentre en Allemagne, à Giessen puis Munich. Il étudie les cyanates, les fulminates et l'acide benzoïque. On lui doit surtout la première classification des produits nutritifs (graisses, albumines, hydrates de carbone). Passionné par les applications de la chimie à l'agriculture, Liebig étudie les sols, prépare des engrais artificiels, met au point des extraits de viande et les premiers aliments spécialement destinés aux enfants.

Sitôt l'appel reçu, Pasteur visite l'usine régulièrement, observe, note, prélève. De retour au laboratoire, armé de son microscope, il explore les échantillons avec acuité et patience, et, en dessins précis, restitue sur un petit carnet les particules observées. Dès lors, voilà Louis « plongé dans le jus de betterave jusqu'au cou », ironise Marie Pasteur dans une lettre à son beau-père. Le problème posé par les fermentations ne peut que séduire la curiosité de Pasteur. Il semble au moins aussi obscur que celui de la cristallographie !

D'autant qu'il vient de l'aborder par un détour singulier. Il a, en effet, constaté que le paratartrate d'ammonium peut subir une fermentation spontanée, cette fermentation s'accompagnant de l'apparition de moisissure composée de levures. Au cours de ce processus, la solution, initialement sans action sur la lumière polarisée, devient optiquement active. Tout se passe alors comme si le ferment consommait l'acide tartrique droit sans toucher l'acide tartrique gauche, lequel resterait seul en solution.

Lui qui s'est acharné à trier à la main ces deux cristaux, voilà qu'il peut faire agir une moisissure pour les séparer !

LES ESPRITS FERMENTENT

Où en sont les connaissances du phénomène de la fermentation au moment où Pasteur s'y intéresse ? Depuis la plus haute Antiquité on fabrique du pain, on obtient du vin, mais le processus qui transforme la pâte ou le jus de raisin reste obstinément inexpliqué. Quand ils ne la qualifiaient pas "d'étrange et obscure", certains savants avaient tenté de s'attaquer à la

*Cristaux et ferments, voilà
en effet que Pasteur les relie.
À force d'observation, il
remarque qu'une substance
non active sur la lumière
polarisée est devenue active
sous l'influence d'une
fermentation. En "singulier
convive", la levure a absorbé
l'acide droit, ignorant
le gauche. Pourquoi,
se demande Pasteur,
le ferment ne serait-il pas
un être vivant ? En 1857,
âgé de 35 ans, il définit
les causes des fermentations
et la nécessité de culture
pure, base de toute
la microbiologie.
Les microbes sont désormais
sous contrôle.*

"transmutation" et d'en percer le mystère : Paracelse au XVIe siècle, le grand chimiste Lavoisier au XVIIIe et Gay-Lussac au XIXe siècle.

Depuis le XVIIe siècle, on attribuait la cause des modifications de la matière organique à un ferment, la levure, sans pouvoir en préciser la nature exacte.

Charles Cagniard de Latour avait constaté que la levure de bière se reproduisait par bourgeonnement. Ainsi suggérait-il que le ferment était un organisme vivant. Simultanément, en Allemagne, le naturaliste Theodor Schwann parvenait à une conclusion identique.

Cependant, ces théories ne faisaient guère progresser la compréhension du phénomène et, surtout, n'entamaient pas l'interprétation dominante, soutenue par Justus von Liebig, qui considérait la fermentation comme un processus chimique. Il supposait que le principe actif réside dans la matière fermentescible elle-même, "éveillé" par une force chimique – par exemple la levure en décomposition – démarrant le processus. Pasteur ne peut se contenter d'une explication aussi vague. Nous le retrouvons penché sur son microscope.

« UN PHÉNOMÈNE DE VIE... »

Que voit-il ? Tout d'abord, il note la présence de petits globules ronds fourmillant et bourgeonnant dans le jus d'une fermentation normale.

Rien de vraiment nouveau : d'autres avant lui, Cagniard de Latour en particulier, les ont détectés. Mais, dans le jus d'une fermentation défectueuse, apparaissent de petits bâtonnets qui produisent l'acide lactique au lieu de l'alcool. Pasteur comprend que ces bâtonnets, les ferments lactiques, sont responsables de la fermentation du lait, tout comme les levures sont le ferment de l'alcool.

Il lui faut alors mettre en évidence le combat que ces micro-organismes se livrent au fond des cuves. Démontrer qu'ils sont incontestablement la cause des fermentations, et qu'ils sont spécifiques à chacune de ces fermentations. En premier lieu, il va les isoler et, pour cela, ensemencer les cuves avec un ferment à l'état de pureté, réaliser des cultures stériles à l'abri du moindre germe étranger. Dans ce milieu, le ferment trouvant sa "nourriture" idéale se développe, prolifère, bourgeonne.

Après des heures, des jours à contrôler sévèrement ses propres expériences, Pasteur peut affirmer :

« La fermentation, loin d'être un phénomène de mort, est un phénomène de vie... Les phénomènes de fermentation sont tous des actes corrélatifs du développement de globules et de végétaux mycodermiques (des levures) dont je donne un moyen de préparation et d'étude à l'état isolé et sans mélange. »

NAISSANCE DE LA MICROBIOLOGIE

Ce moyen, il le fournit effectivement dans son *Mémoire sur la fermentation appelée lactique* publié en 1857. « La pureté d'un ferment, son homogénéité, son développement libre, sans aucune gêne, à l'aide d'une nourriture très bien appropriée à sa nature individuelle, voilà quelques-unes des conditions essentielles des bonnes fermentations. » L'article ne fait pas quinze pages, mais on peut le considérer comme l'acte de naissance de la microbiologie, l'entrée dans l'ère de la domestication des microbes.

Le séjour à Lille confronte Pasteur aux problèmes de fermentation. Il commentera : "Entraîné, enchaîné, devrais-je dire, par une logique presque inflexible de mes études, j'ai passé des recherches de cristallographie et de chimie moléculaire à l'étude des ferments." La pâte de la farine gonfle, le jus de raisin se transforme en vin. Les phénomènes de la fermentation ont été observés depuis l'Antiquité. Au XIXe siècle, ils demeuraient soit inexpliqués, soit associés à une opération chimique. Pasteur va débusquer l'acteur : la levure. En forme de petits globules ronds, la levure de bière (ci-dessous) préside à la fabrication du vin, de la bière, du pain. Le premier, Charles Cagniard de Latour (1777-1859) observe qu'elle se reproduit par bourgeonnement.

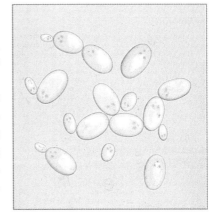

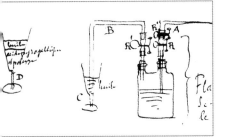

Les appareillages s'adaptent
aux exigences de l'expérience.
L'imagination est
au pouvoir. Pour étudier
la fermentation butyrique,
Pasteur fait réaliser l'outil
qu'il a tout d'abord
dessiné sur son cahier
de laboratoire.

Certains micro-organismes
ont besoin d'oxygène pour
vivre (on dit qu'ils sont
aérobies). D'autres évoluent
et se développent dans
la profondeur de la matière
organique, sans air
(anaérobies). Tel le ferment
butyrique. Principaux agents
de la putréfaction, ces petits
êtres vivants transforment
la matière organique
en ses éléments constitutifs.
C'est ainsi que végétaux
et animaux se décomposent
jusqu'à disparaître après
leur mort. Pasteur dira
que "la vie préside au travail
de la mort". Ce "rôle
immense des infiniment
petits dans l'économie
générale de la nature",
démontré par Pasteur, vaut
d'être médité à une époque
où la protection
de l'environnement
est devenu l'une
des priorités de l'humanité.

Dans la foulée, en étudiant la fermentation butyrique, responsable du beurre rance, il découvre le caractère anaérobie de nombreux micro-organismes. Le ferment butyrique vit à l'abri de l'air. L'acide carbonique ne l'asphyxie pas, l'oxygène le tue. Et la fermentation est beaucoup plus intense dans des conditions anaérobies. Par ailleurs, Pasteur comprend que les microbes, au-delà de leur intervention dans les fermentations, sont aussi les acteurs principaux de la putréfaction et, plus généralement, de toutes les transformations de la matière organique. Ce sont eux qui rendent au règne minéral les éléments que les végétaux et les animaux lui ont empruntés.

LE GRENIER DE LA RUE D'ULM

Tout ce cycle de recherches, commencé à Lille en 1855, c'est à Paris que Pasteur le poursuit à partir de 1857 ; en octobre, il est nommé administrateur et directeur des études scientifiques de l'École normale supérieure.

Sitôt arrivé, il installe sa famille dans le petit appartement réservé à sa fonction et se met en quête d'un laboratoire. Déconvenue ! aucun crédit n'est prévu pour lui en procurer. Une rapide inspection dans tous les recoins lui fait découvrir une portion de grenier inoccupée. Elle lui suffira. Car malgré l'inconfort, il a hâte de rassembler microscope, polarimètre, loupes, tubes et ballons, et de poursuivre ses études sur les fermentations.

Et même s'il sait qu'il a eu raison contre Liebig, une question pourtant demeure : quelle est l'origine des ferments ?

Quatorze ans après y être entré comme élève, Pasteur revient à l'École normale supérieure de la rue d'Ulm en 1857. Il va y demeurer trente et un ans. Son rigide autoritarisme en tant qu'administrateur et directeur des études soulèvera des conflits avec les élèves. Mais il laissera son empreinte dans la réforme de l'enseignement de l'École, à laquelle il restera très attaché.

Pour mener ses travaux personnels, dès son arrivée
à l'ENS, Pasteur investit trois travées
d'un grenier inoccupé. À partir de ce réduit,
il veut "consacrer tous ses loisirs aux progrès
de la science". Sa vie durant, il mènera combat
pour obtenir laboratoire et moyens nécessaires
à ses recherches.

La fermentation, la putréfaction apparaissent le plus souvent comme des phénomènes spontanés. Mais alors, ces ferments, ces levures, essentiels au développement de ces processus, d'où viennent-ils ? Apparaissent-ils spontanément dans les milieux concernés, ou viennent-ils de l'extérieur ? Pasteur ne peut éluder ce débat. Il l'aborde avec un esprit très ouvert, bien qu'une idée précise lui trotte dans la tête. Les ferments lui sont devenus trop familiers pour qu'il puisse croire à leur naissance anarchique. Ces germes, pense-t-il, nous encerclent, sont partout dans l'air…

Dans le même temps, le 20 décembre 1858, Félix Pouchet, directeur du Muséum d'histoire naturelle de Rouen, publie un mémoire où il affirme que « des animalcules et des plantes peuvent naître dans un milieu privé d'air atmosphérique, et où, par conséquent, ce dernier n'avait pu apporter aucun des germes d'êtres organisés ».

C'est le début d'une controverse qui va durer quatre ans.

Titulaire de la chaire d'histoire naturelle à l'université de Pavie, Lazare Spallanzani (1729-1799) soutient contre Buffon et Needham que les animalcules des infusoires proviennent de germes préexistant dans l'air. À ce titre, Pasteur le reconnaît comme son précurseur. En guise d'hommage, il exposera dans sa salle à manger le portrait de l'abbé italien.

LA QUERELLE DE LA GÉNÉRATION SPONTANÉE

En 1859, Pasteur se lance dans une série d'expériences que Biot, dubitatif, tente vainement de décourager. Balard, quant à lui, « ne conseillerait à personne de rester trop longtemps dans un pareil sujet ». Mais notre homme n'est jamais aussi à l'aise que face à un défi à relever, son imagination fait des merveilles. Il

GÉNÉRATION SPONTANÉE, LE GRAND DÉBAT

Des organismes vivants peuvent-ils naître sans parents ? C'est toute la question de l'hétérogénie, c'est-à-dire de la génération spontanée. Certaines croyances sont communément répandues. Le savant bruxellois Jean-Baptiste Van Helmont (1577-1644) en donne un remarquable exemple : pour fabriquer des souris, dit-il, "il n'est que de comprimer une chemise, un peu sale de préférence, dans un vase garni de froment". À partir du XVIIᵉ siècle, la théorie sera battue en brèche grâce à la découverte d'un apprenti drapier de Delft, Antonie van Leeuwenhoek : le microscope. La révélation des "animalcules" qui pullulent dans l'eau d'un marais et qui échappaient jusqu'alors au monde visible, relance le débat. Au XVIIIᵉ siècle, le prêtre irlandais John Needham (1713-1781), partisan de la doctrine, s'opposa à l'abbé italien Lazare Spallanzani. Partant de la même expérience, un jus de mouton chauffé dans une fiole hermétiquement close, l'un y voit flotter "des corps mouvants", l'autre affirme que la vie ne peut y apparaître. Spallanzani prétend que Needham n'a pas assez chauffé ; Needham rétorque que Spallanzani a trop chauffé ! Ce face à face restera sans conclusion. L'abbé, premier pourfendeur de la génération spontanée, ne pourra prouver expérimentalement ce qui était sa conviction.

Le naturaliste et biologiste Félix-Archimède Pouchet (1800-1872), directeur du Muséum d'histoire naturelle de Rouen, va s'avérer le plus farouche opposant de Pasteur dans la querelle de la génération spontanée.

invente des montages tarabiscotés pour capturer les poussières extérieures.

C'est d'abord une bourre de coton dans un tube à travers lequel l'air est aspiré. Le coton, qui retient des particules, est plongé dans un liquide fermentescible ; le ballon est mis à l'étuve : quelques jours après, le liquide est troublé. Les micro-organismes s'y sont développés. Puis c'est un appareil fait d'un manchon de terre cuite et de tubes de verre soumis à la chaleur. Le résultat de ces dispositifs lui prouve que des corpuscules organisés, capables de donner naissance à des micro-organismes, sont en suspension dans l'air atmosphérique.

Pour confirmer ces premières observations, il prépare des liquides facilement putrescibles. Portés à une température de 120 °C dans des ballons scellés, à l'abri de toute poussière, ils deviennent inaltérables.

LA PREUVE PAR LE COL DE CYGNE

Les détracteurs ne sont pas convaincus et objectent que le chauffage aura détruit le "pouvoir génésique", c'est-à-dire le principe même de la vie nécessaire au développement des germes. Pasteur imagine alors une contre-épreuve qui, tout à la fois simple et élégante, sera sans appel.

Il verse une eau de levure sucrée dans un ballon. À la flamme, il étire un long col, lui imprime deux courbes en forme de col de cygne et laisse l'extrémité ouverte. Le liquide est porté à ébullition, la vapeur d'eau s'échappe et expulse l'air. Pendant le refroidissement, bien que l'air circule à nouveau, le liquide ne s'altère pas, parce que les poussières atmosphériques avec leurs germes ont été arrêtées en cours de route ; elles se sont déposées sur la première courbure où s'était condensée un peu de vapeur d'eau.

Par contre, il suffit de briser le col ou d'incliner le ballon de manière à ce que les poussières viennent au contact du liquide pour que celui-ci grouille d'une vie microscopique. Il a donc gardé sa "faculté génésique".

VOYAGES EN BALLONS

La leçon ne semble pas définitivement établie pour les partisans de la génération spontanée, dont le plus résolu est Pouchet. Ils ne désarment pas et provoquent Pasteur : « Comment voulez-vous qu'il y ait dans l'air assez de germes pour pouvoir se développer dans toutes les infusions organiques ? S'il en était ainsi, l'air serait encombré de matières organiques. Elles y formeraient un épais brouillard ! »

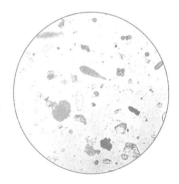

Dans un rayon de soleil, il est aisé de voir les poussières flotter dans l'air. Ce sont ces poussières qui transportent les micro-organismes. Pasteur en apporte la preuve définitive par une suite d'expérimentations rigoureuses.

Un assistant prépare un ballon de verre dont il étire l'extrémité en ligne sinueuse : le ballon à col de cygne reste l'un des modèles d'expérience exemplaire, simple, élégant, qui anéantit les dogmes établis.

Le ballon est rempli d'eau de levure qu'on fait bouillir. On étire le col en deux courbes. Après le refroidissement, l'air circule librement. Les poussières (et les germes qu'elles contiennent) sont piégées par le premier coude et ne peuvent contaminer le liquide. L'un des ballons à col de cygne d'origine est toujours exposé au musée Pasteur.

L'opinion de Pasteur est que la densité des germes dans l'air varie selon les lieux, et il le prouve. Durant l'année 1860, il va transporter dans une malle ses ballons d'eau de levure stérilisée, précisément dans différents sites, de Paris jusqu'aux Alpes. Son projet est simple : il s'agit de capter l'air extérieur dans une série de ballons en ouvrant et refermant rapidement à la flamme leur col effilé, et de constater si le liquide est ou non altéré.

En août, dans la cour de l'Observatoire de Paris, les onze ballons se troublent, alors que dans la cave, un seul sur dix s'altère. Les vacances venues, il part pour Arbois et ouvre dans la campagne vingt ballons : huit d'entre eux donnent des signes de contamination. L'expérience s'élève. En haut du mont Poupet, à 850 m d'altitude, cinq ballons sur vingt sont contaminés. Plus haut encore, le 22 septembre, il gagne la vallée de Chamonix et, sur la mer de Glace, à 2 000 m, un seul des vingt ballons est altéré !

Pour démontrer que l'air des hautes montagnes est presque exempt de germes, Pasteur accède à la Mer de Glace avec, pour équipage, un guide et un mulet. La réverbération de la neige, la flamme qui vacille au vent font d'abord échouer ses expériences de prises d'air. Mais le lendemain, ses efforts sont couronnés de succès.

« NI RELIGION, NI PHILOSOPHIE... »

Après le coup porté par Pasteur à la doctrine de la génération spontanée, les conséquences, sur le plan philosophique, furent considérables. L'apparition de la vie n'était décidément pas un phénomène banal se produisant régulièrement dans tout milieu fermentescible. La question de l'origine de la vie était désormais clairement posée. Et elle l'est toujours. Pasteur ne cherchait pas à lui apporter une quelconque réponse. Il voulait trouver une vérité que, seule, l'expérimentation scientifique impose. « Il n'y a ici ni religion, ni philosophie, ni athéisme, ni matérialisme, ni spiritualisme qui tiennent. Je pourrais même ajouter : comme savant, peu m'importe. C'est une question de fait ; je l'ai abordée sans idée préconçue, aussi prêt à déclarer, si l'expérience m'en avait imposé l'aveu, qu'il existe des générations spontanées, que je suis persuadé aujourd'hui que ceux qui les affirment ont un bandeau sur les yeux. »

Chaque micro-organisme se développe dans un milieu spécifique. Pour l'étudier au laboratoire, il faut lui préparer un "terrain" adapté et la "nourriture" propice à sa prolifération. Le choix des liquides varie : eau de levure, eau de foin, de malt (orge germée), urine, bouillon de veau ou de poule... Les matras à bouchon émeri, imaginés par Pasteur, conservent les bouillons de culture qui serviront aux futures expériences.

UN TRIOMPHE COMPLET

Le débat Pasteur-Pouchet a désormais franchi le cercle restreint de la communauté scientifique. Pasteur saisit l'occasion d'une conférence à la Sorbonne, le 7 avril 1864, pour exposer ses expériences et les porter sur la place publique. En l'occurrence, il s'adresse à un parterre de célébrités parisiennes réunies dans le grand amphithéâtre.

En brillant orateur qui maîtrise pleinement son sujet, il décrit, commente, exhibe des ballons à col de cygne... et proclame pour conclure :

« Et par conséquent, messieurs, moi aussi pourrais-je dire en vous montrant ce liquide : j'ai pris dans l'immensité de la création une goutte d'eau, et je l'ai prise... toute pleine des éléments appropriés au développement des êtres inférieurs. Et j'attends, et j'observe, et je l'interroge, et je lui demande de bien vouloir recommencer pour moi la primitive création ; ce serait un si beau spectacle ! Mais elle est muette ! Elle est muette depuis plusieurs années que ces expériences sont commencées. Ah ! c'est que j'ai éloigné d'elle, et que j'éloigne encore en ce moment, la seule chose qu'il n'ait pas été donné à l'homme de produire, j'ai éloigné d'elle les germes qui flottent dans l'air, j'ai éloigné d'elle la vie, car la vie c'est le germe, et le germe, c'est la vie. Jamais la doctrine de la génération spontanée ne se relèvera du coup mortel que cette simple expérience lui porte. »

Désormais Pasteur a conquis l'auditoire captivé qui l'ovationne longuement.

*Les soirées scientifiques
à la Sorbonne qui viennent
d'être inaugurées
à l'initiative de Victor Duruy,
ministre de l'Instruction
publique en 1863, attirent
le Tout-Paris. Parmi la foule
qui se presse à la conférence
de Pasteur, le 7 avril 1864,
on rencontre Duruy,
Alexandre Dumas,
George Sand, la princesse
Mathilde…*

a

b

P. Lackerbauer ad. nat. pinx.

Picart sc.

VERS SAINS.

a. Ver sans tache. b. Ver avec taches de blessures.

Imp. Geny-Gros, 34, rue de la Montᵉ Stᵉ Genᵉ Paris.

À L'ASSAUT DES GERMES

*Vinaigre, vin, bière, vers à soie, le champ
de l'expérimentation semble infini.
Au service des industries françaises,
Pasteur aide à prévenir les maladies
qui touchent leurs produits en
pensant déjà à celles des hommes.*

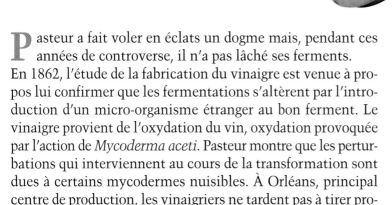

Pasteur a fait voler en éclats un dogme mais, pendant ces
années de controverse, il n'a pas lâché ses ferments.
En 1862, l'étude de la fabrication du vinaigre est venue à pro-
pos lui confirmer que les fermentations s'altèrent par l'introduction d'un micro-organisme étranger au bon ferment. Le
vinaigre provient de l'oxydation du vin, oxydation provoquée
par l'action de *Mycoderma aceti*. Pasteur montre que les pertur-
bations qui interviennent au cours de la transformation sont
dues à certains mycodermes nuisibles. À Orléans, principal
centre de production, les vinaigriers ne tardent pas à tirer profit des recommandations du savant.

*La pasteurisation
est mondialement connue,
ainsi nommée car inventée
par Pasteur. Le procédé
est appliqué au lait
et à ses dérivés, à la bière
et à d'autres boissons ou
aliments périssables. Sait-on
qu'elle a pris naissance dans
une banale bassine en cuivre
et qu'elle a été appliquée
en premier lieu au vin
en bouteille ?*

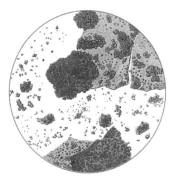

*La tourne, la graisse,
l'amertume, l'acescence…
autant de maladies
qui frappent le vin
et le rendent impropre
à la consommation. Pasteur
impute chacune d'elles
à un microbe spécifique
qu'il importe de détruire
avant que sa multiplication
n'altère la saveur du vin.*

*Consternation dans les chais !
Les propriétaires de caves
se désespèrent de la mauvaise
qualité de leur production.
Dès lors qu'ils ne se conservent pas, les vins deviennent
invendables.*

IN VINO VERITAS…

Du vinaigre au vin, il n'y a qu'un pas. Mais ce fleuron de l'agri-culture française est fragile : les viticulteurs constatent de graves altérations dans leurs tonneaux ; en plusieurs régions, les vins sont tournés, gras, amers, aigres, piqués… bref, ils sont invendables. Si la qualité inconstante du vin n'est pas nouvelle, elle nuit aux exportations et met en péril l'accord commercial conclu en 1860 entre la France et l'Angleterre. Les sujets de la reine Victoria en viennent à bouder les crus de Bourgogne et de Champagne ! Face à une situation préoccupante, Napo-léon III fait appel à Pasteur et l'invite à « rechercher les causes des maladies des vins et les moyens de les prévenir ».

Investi de la mission impériale, Pasteur met à profit des vacances pour installer à Arbois un laboratoire de fortune et examiner la matière première de ses études au rythme des ven-danges ; rapidement, il reconnaît pour chaque maladie la pré-sence d'un micro-organisme étranger spécifique.

Une fois le parasite identifié, comment le détruire sans dénaturer le vin ? Le recours à l'addition d'antiseptiques n'offre pas de résultats satisfaisants. L'idée vient alors d'utiliser l'action de la chaleur. Avec méthode, Pasteur procède à de multiples essais et constate que si le vin en vase clos est chauffé entre 55 et 60 °C, il ne s'altère pas et conserve son bouquet.

Testé sur un nombre considérable de bouteilles dans un modeste bain-marie en cuivre, un nouveau procédé de conservation est né : la "pasteurisation", appelé à se généraliser dans le monde entier ; véritable estampille, le nom s'adaptera à tous les continents.

Pasteur examine un échantillon de vin dans un tube à essai. La mission que lui a confiée Napoléon III est lourde et d'un enjeu considérable. Plus de deux millions d'hectares plantés de vigne en font l'une des premières richesses du sol français. Les maladies du vin menacent un négoce de près de 500 millions de francs.

Après le vin, Pasteur se porte au secours de la bière qui présente les mêmes altérations. Les instruments servant à l'expérimentation se plient au format du laboratoire (ci-dessous : appareils utilisés par Pasteur lors de ses expériences sur la bière, permettant l'un la préparation d'une culture pure de levure, l'autre la fermentation du moût à l'abri de l'air) avant qu'ils ne deviennent les immenses cuves de la brasserie.

BIÈRE ET PATRIOTISME

Cinq ans plus tard, Pasteur appliquera sa méthode à la bière. C'est la défaite de 1870 qui l'entraîne à étudier les maladies de cette boisson. Son patriotisme cruellement blessé, il veut assurer à la France une production digne de rivaliser avec l'industrie allemande qui prédomine.

Le laboratoire est converti en brasserie miniature et les brasseries en centres de recherche. Pasteur se rend à Londres et chez les frères Tourtel, à Nancy. Lors de ces visites, il examine le bouillonnement des cuves, contrôle les gouttes de liquide sous le microscope…

Le lien de parenté entre vin et bière est étroit. Aux mêmes maladies répondent les mêmes causes, les contaminations par un parasite extérieur. Pour le cas de la bière, Pasteur donne les conseils spécifiques qui s'imposent. Il faut garder les moûts sucrés à l'abri de tous les intrus apportés par les poussières de l'air ou transmis par les ustensiles, ensemencer avec des levures pures et chauffer à 50-55 °C.

Jusqu'alors empirique, la brasserie devient scientifique. Tout comme il a tiré d'embarras les vinaigriers et les vignerons, Pasteur assure la prospérité aux brasseurs.

Pour assurer la protection de ses découvertes, Pasteur dépose des brevets.

Toutes observations conduites avec rigueur n'échappent pas au jugement personnel... qui passe par les papilles gustatives. Or, s'il est amateur de vin, Pasteur n'aime pas la bière. Inapte à relever les différentes saveurs, il s'adresse à son ami Bertin, sous-directeur de l'École, au palais plus aguerri. D'humeur joyeuse, le dégustateur anime les séances de moqueries et de plaisanteries, dont le sévère Pasteur parvient à sourire.

LA CONSERVATION DES ALIMENTS

Pendant des millénaires, l'homme a le souci de conserver, voire de stocker les produits de ses chasses, de ses cueillettes, de ses récoltes. Le séchage en plein air, le sel ou la saumure, la fumée, le chauffage sont autant de techniques qui préservent les aliments de la putréfaction. Mais si l'on constate leur efficacité, on reste incapable d'expliquer celle-ci.

En 1810, Nicolas-François Appert (1750-1841) publie *l'Art de conserver par le procédé du chauffage toutes les substances animales et végétales,* *pendant plusieurs années.* Confiseur de son état, il a mis au point une méthode qui annonce l'époque moderne, bien avant l'introduction du réfrigérateur et du congélateur : la boîte de conserve stérilisée. Mais le génial précurseur ignore lui-même tout du processus qui intervient. En démontrant le rôle des micro-organismes dans l'altération des aliments, Pasteur apporte une explication scientifique à des pratiques couramment utilisées qu'il devient dès lors possible de perfectionner : la pasteurisation est née.

Ferment en chapelet de grains témoin de la maladie des morts-flats (ou flacherie) pris dans la poche stomacale des chrysalides.

AU CHEVET DES VERS À SOIE

Les travaux de Pasteur sur les fermentations et sur les générations dites spontanées le mènent inéluctablement vers les maladies infectieuses. En 1865, une étude imprévue le rapproche des problèmes pathologiques qu'il rêvait d'aborder. Une maladie, la pébrine, sévit alors dans les élevages de vers à soie dans le sud de la France. Son ancien maître, Jean-Baptiste Dumas, devenu sénateur du Gard, inquiet des ravages que subit une industrie essentielle pour la prospérité de la région, demande à Pasteur d'aller étudier sur place la maladie.

Jamais auparavant il n'a vu un ver à soie ; son ignorance du sujet est totale. Ce n'est pas seulement le "souvenir des bontés" que Dumas lui a prodiguées qui l'engage à accepter, il a la certitude que « le sujet est dans le cadre de ses études ». Étrange prémonition !

Un voyage de reconnaissance à Alès, en juin 1865, le familiarise avec la sériciculture. Il interroge les éleveurs, examine les vers à soie piqués de taches brunes et noirâtres, signes du mal. Ces taches ressemblent à des grains de poivre, en languedocien *pébré*, d'où le nom de pébrine. Des centaines de vers, d'œufs, dits aussi graines, de papillons défilent sous le microscope. Pasteur a l'immédiate conviction que les corpuscules sont les agents de l'infection, qu'il ne faut pas les chercher uniquement dans les œufs ou dans les vers, que le mal se développe surtout dans les chrysalides et les papillons.

LE LABORATOIRE D'ALÈS

Pour s'assurer de rigoureux contrôles, il lui faut suivre pendant cinq mois tout le cycle de l'élevage, de la mise en incubation jusqu'à l'éclosion. Dès février 1866, Pasteur investit une petite maison à Pont-Gisquet, proche

Pour s'instruire sur le ver à soie, Pasteur rend visite dans le Vaucluse au célèbre naturaliste Jean Henri Fabre (1823-1915), lequel se souviendra : "Sa magnifique assurance me frappa. Ignorant chenille, cocon, chrysalide, métamorphose, Pasteur venait régénérer le ver à soie. Génial lutteur contre le fléau des magnaneries, lui pareillement accourait à la bataille tout nu, dépourvu des plus simples notions sur l'insecte à tirer de péril. J'étais abasourdi ; mieux que cela, j'étais émerveillé."

*Dans les années 1855-1865,
une maladie mystérieuse
touche les magnaneries
françaises, en même temps
que tous les pays producteurs :
l'Italie, l'Espagne…
La production tombe
à 4 000 tonnes en 1865.
C'est l'effondrement
d'une industrie nationale.
Dans le Gard, principal
département producteur,
le désarroi gagne.*

d'Alès, vite aménagée en laboratoire.

Assisté de trois de ses meilleurs élèves, Émile Duclaux, Désiré Gernez et Eugène Maillot, il reviendra chaque année jusqu'en 1870.

La multitude d'essais mis en chantier confirmera que la maladie est transmissible. Pour s'en convaincre encore, Pasteur badigeonne d'un broyât de vers corpusculeux des feuilles de mûrier dont il nourrit des vers sains. Peu après, les vers présentent les taches brillantes caractéristiques. Les feuilles souillées provoquent les mêmes manifestations. Les vers se contaminent également en se blessant les uns les autres avec leurs petites griffes : la maladie est bien contagieuse.

Ce n'est pas tout, Pasteur note que la pébrine se déclare dans des lots de vers issus de papillons corpusculeux, et démontre qu'à tous les stades de la métamorphose, l'infection se transmet en un cycle fatal à la descendance.

*Le laboratoire n'est pas
un lieu figé. Pasteur
le transporte là où l'appellent
ses recherches : une cave,
une brasserie,
une magnanerie…
Il y entraîne ses meilleurs
collaborateurs. Avec Émile
Duclaux (ci-contre), Désiré
Gernez, Eugène Maillot
puis Raulin, il s'installe
à Pont-Gisquet en 1866.
Le travail sans répit
commence à l'aube,
on observe, on rectifie
ses opinions à la lueur
de faits nouveaux…*

LES GERMES EN ACCUSATION

Les preuves accumulées cernent la maladie. Pour la prévenir, Pasteur invente le grainage cellulaire, procédé aussi astucieux qu'efficace. Après l'accouplement, chaque papillon femelle pond isolément sur des petits carrés de gaze. La ponte effectuée, la femelle est fixée à côté de ses œufs. Quand le papillon est desséché, il est broyé dans un mortier, délayé avec un peu d'eau et examiné sous le microscope. À la moindre présence de corpuscules, il est facile de prévoir ce que sera le grainage et d'écarter la descendance atteinte ; la femelle, ses œufs et le linge sont brûlés.

Pasteur se met en campagne pour imposer ce traitement. Malgré l'incrédulité ou la réticence affichée de certains éleveurs et de marchands de graines qui combattent sa méthode, on voit bientôt trôner dans quelques magnaneries cet objet insolite devenu auxiliaire indispensable : le microscope.

La pébrine est considérée vaincue, mais cette maladie en cachait une autre, presque aussi redoutable, la flacherie. Dans des élevages où la mortalité persistait, Pasteur, un instant désorienté, ne tarde pas à reconnaître qu'elle est due à des micro-organismes en forme de vibrions. Ces germes, il les trouve à la fois dans l'intestin des vers malades et sur les feuilles de mûrier. Les excréments sont aussi un facteur de contagion. Il note la sensibilité accrue des vers les plus affaiblis par une température brusquement élevée, par un temps orageux ou une ventilation insuffisante et reconnaît ainsi l'importance du "terrain", c'est-à-dire l'état physiologique de l'hôte infecté.

Pasteur examine un cocon. Il se souviendra des patientes observations et des longs efforts que lui ont demandés "un sujet difficile et ingrat".

UNE ÉTAPE CAPITALE`

Comment arrêter la flacherie ? De simples précautions d'hygiène, une bonne aération, des litières dégagées des feuilles en fermentation préserveront de la contamination accidentelle. L'examen microscopique de la poche stomacale des chrysalides et de l'intestin des vers permettra d'éliminer les lots suspects. En 1869, le maréchal Vaillant, ministre de la Maison de l'empereur, offre à Pasteur d'expérimenter en grand ses méthodes de grainage dans un domaine de la couronne planté de mûriers. Pendant huit mois, il s'installe à Villa Vicentina, près de Trieste, et parachève son œuvre *Études sur la maladie des vers à soie, moyen de les combattre et d'en prévenir le retour*. Reconnaissant des encouragements que lui a prodigués l'impératrice Eugénie, il lui dédie ses *Études*.

Le séjour dans le Frioul aura permis de confirmer sa réputation de sauveur de la sériciculture. Après des alternances d'angoisses, d'enthousiasmes, Pasteur sort vainqueur d'un long combat. De tous les pays menacés, l'Autriche et l'Italie seront les plus prompts à retenir et à appliquer ses conseils. Quand la France enfin emboîtera le pas, l'industrie lyonnaise de la soie redeviendra prospère. Les travaux sur les vers à soie s'imposent comme le premier modèle de la science expérimentale dans la lutte contre la maladie.

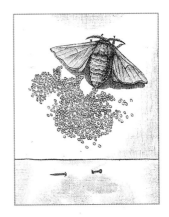

Broyer le papillon femelle qui a pondu, détecter au microscope les traces de corpuscules, brûler le papillon suspect et ses œufs. C'est tout le procédé du grainage cellulaire qui va sauver la sériciculture. La pratique de cette méthode apparaît à ce point simple "qu'une femme, un enfant même peut s'en charger", affirme Pasteur.

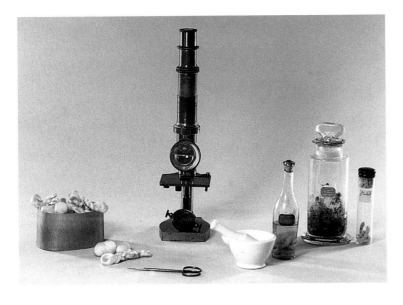

L'enjeu est d'importance, mais les moyens sont simples : le microscope, un mortier, papillons et vers, objets de l'étude. Au prix d'un travail intensif, quatre années seront nécessaires pour vaincre les maladies désastreuses du ver à soie.

L'un des premiers élèves de Pasteur, attaché à son laboratoire dès 1878, Émile Roux (1853-1933), médecin, participera à nombre de ses travaux sur les maladies virulentes : choléra des poules, charbon, rage. Il s'illustrera par la découverte de la sérothérapie antidiphtérique et antitétanique et deviendra, en 1904, directeur de l'Institut Pasteur. La forte personnalité des deux hommes a provoqué parfois quelques tensions au laboratoire en dépit de l'admiration de l'élève pour le maître.

Pour la première fois, les bases de la contagion et de la transmission à la descendance sont posées ; pour la première fois, il est prouvé la nature microbienne des maladies d'un être vivant ; pour la première fois, des méthodes de prophylaxie sont appliquées.

UNE ŒUVRE COLLECTIVE

La vie de Pasteur semble toute contenue dans ses travaux. La recherche scientifique est son credo, le laboratoire le centre de son univers, le creuset par où passent les grandes interrogations. C'est là qu'il aime évoluer, qu'il exprime sa pleine mesure, l'œil rivé à l'oculaire du microscope, notant, comparant, méditant, observant sans relâche. Malgré sa propension à travailler seul, il s'entoure de collaborateurs, certes peu nombreux, attentifs à respecter l'atmosphère studieuse. Mais si le silence nécessaire à la concentration est de règle, les expériences sont commentées, discutées, les avis confrontés âprement : « Parfois nous n'étions pas d'accord et les voix s'échauffaient ; mais avec Pasteur, qui passait pour autoritaire, on pouvait dire librement toute sa pensée ; je ne l'ai jamais vu résister à une bonne raison », témoignera Roux.

Nul n'est admis à franchir le seuil du laboratoire sans motif valable. Le maître des lieux redoute l'irruption d'importuns qui troublent le cours de ses pensées. Seule l'obligation d'assister aux séances des académies l'arrache à la méditation.

L'HOMME DERRIÈRE LE SAVANT

Dans cette vie entièrement vouée à la science, n'existe-t-il pas d'interstices où puisse se glisser une part d'intimité, de vie affective ? On connaît les qualités du chercheur, qu'en est-il de l'homme ?

Époux affectueux, père attentif, Pasteur étend un égal dévouement à sa famille, l'autre pôle de ses valeurs. Mais même parmi ses proches, il ne ménage personne. Vivre à l'ombre du grand homme n'est pas aisé. Sa fille Marie-Louise lui reproche-t-elle

AU LABORATOIRE
DE L'ÉCOLE NORMALE

« Ces années passées au laboratoire de la rue d'Ulm restent présentes
à mon esprit comme les meilleures de ma vie. Pasteur était toujours
le premier arrivé ; à peine entré, un morceau de carton et un crayon
à la main, il allait à l'étuve noter l'état des cultures et descendait au
sous-sol voir les animaux en expérience. Puis nous faisions les autop-
sies, les ensemencements… Il faut avoir vu Pasteur à son microscope
pour se faire une idée de la patience avec laquelle il examinait une
préparation. D'ailleurs, il regardait chaque chose avec le même soin
minutieux, rien n'échappait à son œil de myope, et nous disions
en plaisantant qu'il voyait croître les microbes dans les bouillons.
Ensuite, Pasteur écrivait ce qui venait d'être observé. Il ne laissait
à personne le soin de tenir les cahiers d'expérience, il consignait lui-
même les renseignements que nous lui donnions dans tous les détails.
Rien n'était enregistré qui ne fût bien constaté ; une fois les choses
écrites, elles devenaient pour Pasteur d'incontestables vérités.
Lorsque, dans nos discussions, retentissait cet argument : "c'est sur
le cahier", aucun de nous
ne songeait à répliquer. »
Émile Roux, in
L'œuvre médicale de Pasteur, 1906

*Entouré de ses collaborateurs,
Pasteur indique le programme
des travaux. L'atmosphère
est studieuse. Le laboratoire
s'anime souvent de vives
discussions : on y confronte
hypothèses, expériences
en cours, résultats.*

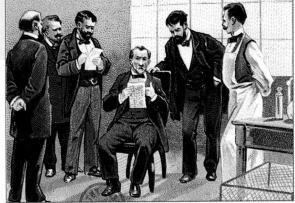

de ne jamais rire ? Il en convient ; l'austérité est un trait fondamental de son
caractère.
L'existence imposée par les contraintes
du laboratoire ne laisse guère de place
aux soirées mondaines, aux sorties, aux
spectacles… Les vacances arboisiennes
apportent la seule détente de l'année. Certes, les études s'y poursuivent, mais la cadence ralentit, rompue par les promenades
dans la campagne ou les excursions vers les reculées du Jura.

ÉPREUVES, DRAMES ET DÉFAITES

Dans ces années de travail acharné jusqu'à l'épuisement vient
le temps des chagrins, des grandes douleurs. Le lutteur apparaît tout à coup désemparé.
En l'espace de sept ans, les deuils se succèdent. C'est Jeanne,
sa fille aînée, âgée de neuf ans, terrassée par une fièvre typhoïde

À partir de 1868, à demi paralysé, le savant devient dépendant pour rédiger ses cahiers d'expérience et pour manipuler. Au laboratoire, ses préparateurs l'assistent. Ici, Pasteur dicte ses notes à Marie dans le jardin de Pont-Gisquet.

en 1859 ; puis la petite Camille, à deux ans, succombe d'une tumeur du foie en 1865, quelques mois après le décès de Jean-Joseph, le père tant admiré. L'année suivante, l'espiègle et jolie Cécile, âgée de treize ans, est victime à son tour d'une fièvre typhoïde.

Le temps des souffrances n'est pas terminé. Ces profondes blessures, les recherches harassantes dans le Gard, les obstacles à surmonter ont eu raison de ses forces physiques. Le 19 octobre 1868, Pasteur éprouve un malaise étrange. Quelques heures plus tard, le mal éclate et le foudroie. On craint le pire. Une hémorragie cérébrale paralyse peu à peu tout le côté gauche. À 46 ans, il est hémiplégique. Définitivement, le bras restera contracturé, la démarche entravée par une jambe raide ; mais l'intelligence est intacte. La volonté aussi : après une lente convalescence, Pasteur reprend le chemin d'Alès pour poursuivre ses études. L'année suivante, à Villa Vicentina où il alterne repos et travail, la vie au grand air lui redonne quelques forces.

PASTEUR, PROFESSEUR À L'ÉCOLE DES BEAUX-ARTS

«... Il y a des circonstances où je vois clairement l'alliance possible et désirable de la Science et de l'Art, et où le chimiste et le physicien peuvent prendre place auprès de vous et vous éclairer. » Par ces mots, Pasteur s'adresse aux étudiants de l'École des beaux-arts. Premier titulaire d'une chaire nouvellement créée en 1863, il est devenu le professeur inattendu de "géologie, physique et chimie appliquées aux beaux-arts". De 1864 à 1867, il donne cinq leçons. Soulignant la nécessité de faire intervenir la science de la chimie dans la pratique de leur art, Pasteur s'adresse d'abord aux peintres et leur propose d'analyser les procédés matériels de la peinture : variations de dessiccation des couleurs suivant les techniques employées, obscurcissement de la peinture à l'huile, effets et méfaits des enduits, des vernis... Cette approche de la conservation et de la restauration ouvrira la voie au futur laboratoire du musée du Louvre. Quant aux architectes, ils retiendront les conseils de l'hygiéniste en abordant le chauffage, l'éclairage, la ventilation et l'assainissement de leurs constructions.

Le régime impérial s'effondre au lendemain de la capitulation de Sedan. Bombardements, incendies, pillages, l'invasion prussienne plonge le pays dans la misère. La paix signée à Francfort le 10 mai 1871 révèle le désastre : territoire amputé de l'Alsace et de la Lorraine, cinq milliards de rançon exigés par l'Allemagne.

Au retour, une nouvelle épreuve déchire son cœur de patriote. Comme un coup de tonnerre éclate la déclaration de guerre entre la France et la Prusse. La capitulation de Sedan (2 septembre 1870) le révulse. Et dès l'annonce du bombardement du Muséum d'histoire naturelle par les troupes prussiennes, il renvoie au doyen de l'université de Bonn son diplôme de docteur *honoris causa* qu'il avait reçu trois ans auparavant avec fierté. Heures sombres !

PLAIDOYER POUR LA SCIENCE

Le désastre qui ruine son pays, Pasteur n'en voit qu'une explication : l'incurie et le désintérêt de la France pour la science. Dans un vigoureux article, *Pourquoi la France n'a pas trouvé d'hommes supérieurs au moment du péril*, il stigmatise la carence des tenants du pouvoir, compare la pauvreté des laboratoires français aux installations modernes allemandes, regrette l'attitude d'une France qui, se croyant toujours grande par ses découvertes, a vécu sur son passé. Il souligne que dans une « civilisation moderne, la culture des sciences dans leur expression la plus élevée est peut-être plus nécessaire encore à l'état moral d'une nation qu'à sa prospérité matérielle ». Ce plaidoyer a des résonances qui traversent le temps !

LES LENTS PROGRÈS DE L'HYGIÈNE

Dès 1859, Pasteur a eu la claire conception des conséquences médicales de ses découvertes. Les travaux sur les vers à soie viennent d'établir le lien entre fermentations et maladies. Ferments et micro-organismes infectieux sont des êtres vivants, les uns spécifiques d'une fermentation, les autres d'une maladie, et la maladie, comme la fermentation, n'est pas spontanée ; les germes viennent du dehors, on peut donc éviter la contagion. Fort de ces notions, il a mis au point des techniques rigoureuses empêchant l'intrusion des germes nocifs.

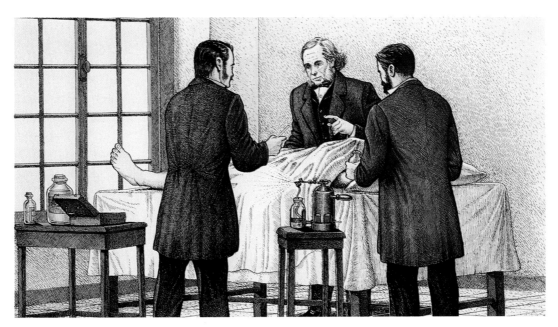

L'intérêt doctrinal des méthodes pasteuriennes commence à pénétrer les esprits, bien que très lentement. Joseph Lister, jeune chirurgien écossais, frappé par les travaux sur la putréfaction, déduit que des micro-organismes sont la cause de la suppuration des blessures et s'applique, depuis 1865 à désinfecter ses instruments, ses mains avec une solution de phénol. Pendant l'opération, une pulvérisation phéniquée détruit les germes qui se sont déposés sur la plaie. L'antisepsie vient de naître. En deux ans, Lister sauve 34 amputations sur 40.

La théorie des germes pénètre le milieu médical et modifie les pratiques. Constamment préoccupé par l'amélioration des méthodes de soins, l'Écossais Joseph Lister (1827-1912) s'affirme redevable des travaux de Pasteur et introduit dans les salles d'opération le système antiseptique (ici par pulvérisation d'acide phénique).

DANGER, HÔPITAL !

Au XIXe siècle, la plupart des chirurgiens méconnaissent totalement l'importance de l'hygiène. On opère à mains nues, en costume de ville, portes et fenêtres ouvertes… La guerre de 1870 a souligné les ravages que fait l'infection chez les blessés. Pendant la guerre de Crimée, tragique hécatombe, on a déploré plus de morts ayant succombé à la suite d'opérations chirurgicales (50 000) que de tués au combat (10 000). À cette époque, les salles de chirurgie affichent un triste bilan ; tout opéré est candidat à la "maladie putride" (c'est-à-dire la gangrène),

le plus souvent mortelle ; l'amputation est une opération à haut risque : en 1868, à Paris, près de 60 % des amputés meurent. Dans les maternités, la fièvre puerpérale condamne une accouchée sur cinq. Pourtant de grands praticiens éclairent ce tableau sinistre. Dès 1847, le chirurgien hongrois Semmelweis comprend que la fièvre puerpérale se propage par les mains souillées. En France, Velpeau, Desseaux, Civiale pour la chirurgie, Laennec, Bichat, Claude Bernard pour la médecine, annoncent la grande mutation du XIXe siècle.

UN "CHIMIÂTRE" PARMI LES MÉDECINS

Rude période que celle qui suit la défaite face à la Prusse ! Plongée dans la misère, une partie de la population parisienne doit lutter pour survivre. Les épidémies se multiplient, favorisées par des conditions d'hygiène souvent déplorables.

La médecine s'éveille aussi à la théorie des germes. Jean-Antoine Villemin, Casimir Davaine soupçonnent que des germes sont la cause, pour l'un de la tuberculose, pour l'autre de la maladie du charbon. Ce ne sont là que quelques exemples isolés. Le corps médical, dans sa majorité, est loin d'adhérer aux notions propagées par un chimiste – autant dire un profane – qui ébranle les doctrines régnantes.

Pasteur empiète sur un domaine réservé. Pourtant, en 1873, il est élu à l'Académie de médecine, à une voix de majorité ! De justesse, il a franchi l'enceinte sacrée où l'attendent des débats oratoires sans fin, attisés par l'hostilité

UNE NOUVELLE HYGIÈNE

Les affrontements où Pasteur déploie la dernière énergie le laissent parfois accablé. « Ainsi malgré toutes ces preuves évidentes… il ne restera rien de moi ? » confie-t-il à Claude Bernard.
« Si, Pasteur, il restera quelque chose de vous et je vais vous dire quoi : ce matin, l'urologiste Gosselin est venu sonder ma pauvre vessie.
Il était accompagné d'un jeune interne Guyon, qui se réclame de vous et de vos doctrines.

Or voici ce que j'ai remarqué : Gosselin s'est lavé les mains après m'avoir sondé, Guyon s'est lavé les mains avant d'avoir touché la sonde.
Voilà, Pasteur, ce qui restera de vous ! »
Il restera en effet que nos gestes les plus naturels comme boire, manger, toucher ne seront plus les mêmes ; les mesures sanitaires, l'hygiène désormais les contrôleront. L'omniprésence des microbes est entrée dans la conscience collective.

d'une grande partie des académiciens. L'un le traite de "chimiâtre", l'autre ira jusqu'à le provoquer en duel. Plus accablant, beaucoup attaquent ses théories, refusant de croire que les maladies se développent souvent à partir d'un agent extérieur à l'organisme humain. Pasteur s'épuise à expliquer des vérités accueillies fraîchement par une assemblée d'éminents praticiens et de virtuoses du bistouri attachés à leurs confortables certitudes. Pour renverser les préjugés, les partis pris, il lui faut encore apporter des démonstrations et, pour approcher au plus près les maladies, le "perturbateur de l'ordre, de la médecine" fréquente les hôpitaux. Ses déambulations dans les immenses salles communes renforcent sa crainte : les objets, les médecins, les infirmières véhiculent les microbes dangereux d'un malade à l'autre.

Pasteur n'a aucun diplôme de médecine à brandir, mais la force de sa conviction soutient une mémorable communication devant un auditoire médusé. « Si j'avais l'honneur d'être chirurgien… non seulement je ne me servirais que d'instruments d'une propreté parfaite, mais après avoir nettoyé mes mains avec le plus grand soin et les avoir soumises à un flambage rapide… je n'emploierais que des bandelettes, des éponges préalablement exposées dans un air porté à la température de 130 à 150 °C, je n'emploierais jamais qu'une eau qui aurait subi la température de 110 à 120 °C. » C'est la révélation de la chirurgie aseptique. Dans l'immédiat, elle aura quelques prosélytes, trop rares.

Sans avoir de relations très suivies, Pasteur et le grand physiologiste Claude Bernard (1813-1878) se portent une mutuelle estime et s'admirent. Les deux savants sont les principaux promoteurs de la méthode expérimentale dans l'étude des phénomènes vivants.

LE VACCIN, LA GLOIRE

*Savant à l'autorité reconnue,
Louis Pasteur peut s'attacher à vaincre
les maladies contagieuses du bétail,
puis de l'homme. Un long chemin jalonné
de triomphes qui feront de lui l'universel
"bienfaiteur de l'humanité".*

D ans la voie irrésistiblement engagée vers la compréhension des maladies infectieuses, Louis Pasteur avance à grands pas.
Microbe ! Il s'empare du mot, le cherche partout, le débusque : dans les furoncles dont est affligé son disciple Duclaux, c'est le staphylocoque ; chez les accouchées mortes de fièvre puerpérale, c'est le streptocoque. Puis il isole le pneumocoque et le vibrion septique.
Si Pasteur a révélé la nature microbienne des infections, on ne doit pas en conclure qu'il a identifié à lui seul les germes responsables de toutes les grandes maladies. Sur ce terrain, l'école allemande menée par Robert Koch a fourni une contribution au moins équivalente. De plus, il connaît des échecs. En 1865, alors qu'une épidémie de choléra sévit à Paris, il se rend avec Claude Bernard et Sainte-Claire Deville dans les combles d'un

*Le monde invisible est soudain exploré.
Les microbes sont observés, catalogués, cultivés.
Deux écoles se partagent le même enjeu : l'une menée par Robert Koch en Allemagne, l'autre en France, par Louis Pasteur.*

S'il est surtout connu pour avoir isolé l'agent de la tuberculose, le bacille qui porte son nom (1882), on doit aussi à Robert Koch (1843-1910) l'identification de nombreux microbes et le perfectionnement des techniques de culture. À la différence de Pasteur, Koch parcourt le monde : il se rend en Égypte et aux Indes pour observer les épidémies de choléra,

hôpital avec l'espoir d'établir la présence dans l'air d'un agent empoisonné, responsable de la maladie. Échec (car le microbe se transmet par l'eau) qui en préfigure un autre, tragique, qui se produira quelques années plus tard lorsque ses disciples poursuivront jusqu'en Égypte cet insaisissable agent du choléra. L'un de ces savants, Louis Thuillier, contractera le mal et n'y survivra pas. Mais à la différence de Koch qui développe la science des microbes, Pasteur s'intéresse moins aux germes eux-mêmes qu'aux moyens de les combattre.

COMBAT CONTRE LE CHARBON

En 1877, Pasteur aborde la question du charbon, maladie mortelle du bétail. Touchant principalement les moutons, elle n'épargne ni les bovins ni les chevaux. Les fermes du monde entier tremblent de voir leur cheptel décimé. L'enjeu économique est important ; la France, à elle seule, accuse une perte moyenne annuelle de 15 millions de francs.

Dans le sang noir et épais des animaux morts du charbon, l'existence d'un germe associé à la maladie avait déjà été observée par Casimir Davaine. Il l'avait nommé "bactéridie charbonneuse". Robert Koch avait ensuite pressenti que celle-ci était la cause de la maladie. Toutefois, aucune expérimentation n'en apportait la preuve décisive.

On en est là quand Pasteur s'y intéresse, avec ses méthodes. Il dilue une goutte de

en Afrique équatoriale et en Malaisie pour étudier la peste, le paludisme, la lèpre, la fièvre typhoïde, la maladie du sommeil... Son œuvre immense est couronnée par le prix Nobel de physiologie et de médecine (1905).

sang charbonneux dans des cultures en série. Au terme d'une centaine de transferts, de ballon en ballon, la goutte d'origine a été comme noyée dans un océan. Or, un prélèvement de la centième culture inoculée à un cobaye le tue aussi sûrement que la première. La bactéridie est bien l'agent de la maladie. Les détracteurs rendent les armes. Mais Pasteur ne se limite pas à cette démonstration, il entend organiser la lutte contre le charbon.

Des "petits corps filiformes"
sont observés dès 1850 dans
le sang d'un mouton mort
du charbon, par Rayer
et son élève Casimir Davaine.
Treize ans plus tard,
Davaine, retrouvant
ces bâtonnets, a la conviction
qu'ils sont la cause
du charbon.

Le calme pastoral des fermes
n'est qu'illusion.
Une épidémie ruineuse
atteint les troupeaux ;
les victimes s'effondrent,
le sang contenu dans la rate
devient noir comme
            le charbon.

Dans les plaines de la Beauce, Pasteur enquête sur le terrain. "Immobile près des barrières, il regardait les lots en expériences avec cette attention soutenue à laquelle rien n'échappait ; il fallait lui rappeler l'heure et lui montrer que les flèches de la cathédrale de Chartres commençaient à s'effacer dans la nuit pour le décider à partir", se souviendra Émile Roux.

ENQUÊTE DANS LES "CHAMPS MAUDITS"

Justement, en août 1878, pour répondre au vœu du Conseil général d'Eure-et-Loir, département particulièrement touché par l'épizootie, le ministre de l'Agriculture donne mission à Pasteur « d'étudier les moyens préventifs et curatifs qu'on pourrait lui opposer ». Henri Toussaint, jeune et brillant vétérinaire à Toulouse, se voit investi de la même tâche. Chacun travaillera dans des lieux différents selon sa propre méthode.

Le laboratoire s'installe dans une ferme beauceronne, à Saint-Germain-la-Gâtine, près de Chartres, où Pasteur, Chamberland et Roux vont mener leur campagne d'observation pendant deux ans.

Les animaux qui paissent dans certains champs, qualifiés de "maudits", semblent être affectés plus souvent par la maladie. Au cours d'une exploration dans l'un des "champs maudits", Pasteur s'étonne d'apercevoir un grand nombre de tortillons de terre sur une partie de la prairie où le fermier a enfoui des animaux morts l'année précédente. De cette observation, il ne tarde pas à déduire le mode de contagion : ce sont les vers de terre qui remontent les germes des cadavres à la surface du sol et contaminent l'herbe du pâturage. La conclusion s'impose : ne jamais enfouir un cadavre charbonneux dans un champ réservé au pacage, ou bien l'enterrer dans un sol sec et maigre que ne fréquentent pas les vers de terre.

LE CHOLÉRA DES POULES

La marche de la contagion du charbon est entravée. Il reste à se rendre maître de la maladie.

« Dans les champs de l'observation, le hasard favorise les esprits préparés », répète Pasteur, comme une

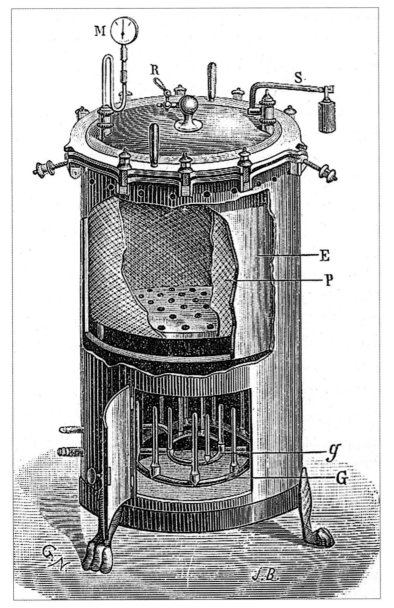

Charles Chamberland (1851-1908), l'un des fidèles collaborateurs, accompagnera Pasteur dans ses recherches, notamment celles sur le choléra des poules et le charbon. Plus tard, il s'illustrera comme un grand hygiéniste.

Détruire les microbes, stériliser par la chaleur, Charles Chamberland imagine en 1879 le premier autoclave, appareil qui, en se perfectionnant, deviendra l'outil indispensable des laboratoires de bactériologie, des services de chirurgie et des postes de désinfection.

antienne. Elle va trouver une illustration par le détour du choléra des poules, maladie foudroyante qui décime les basses-cours, et conduire vers une découverte fondamentale : le contrôle de la virulence des microbes.

En ce début décembre 1878, la tête d'un coq mort du choléra des poules gît sur la paillasse. C'est un envoi de Toussaint,

lequel a cette même année isolé le microbe. Fidèle à sa méthode de cultures successives, Pasteur confirme le rôle du bacille. Pendant les vacances de l'été 1879, Pasteur part pour Arbois ; Roux, Chamberland et Duclaux désertent le laboratoire. Au retour, les ensemencements reprennent. La lumière va jaillir d'un flacon laissé à l'abandon : lors d'une expérience, on injecte une culture vieillie à des poules. Surprise ! les volatiles ne meurent pas. Pasteur a l'idée d'inoculer une culture jeune et virulente à ces mêmes poules. Deuxième surprise ! elles résistent. Une conclusion s'impose : la culture vieillie, constituée de bactéries vivantes mais ayant perdu leur virulence, a provoqué une immunité contre les bactéries virulentes. Pasteur vient de montrer la possibilité de vacciner avec des germes virulents rendus inoffensifs, et qu'il qualifie "d'atténués".

Depuis le grenier de l'École normale, le laboratoire s'agrandit peu à peu, complété par des animaleries nécessaires au contrôle des maladies. Pasteur et son équipe surveillent chaque jour une véritable ménagerie, installée dans des dizaines de cages et clapiers (ci-dessus). Mais le rêve de vastes salles bien équipées (ci-contre) ne se réalisera qu'avec la création de l'Institut Pasteur.

SÉDILLOT INVENTE LE MOT "MICROBE"

Au mois de mars 1878, le chirurgien militaire Charles-Emmanuel
Sédillot, alors âgé de 74 ans, qui avait pu constater pendant la guerre
à l'ambulance de Haguenau les effrayants ravages de la gangrène
d'hôpital et qui suivait avec un intérêt passionné les recherches
de Pasteur, lisait à l'Académie des sciences une note intitulée
De l'influence des travaux de M. Pasteur sur les progrès de la chirurgie.
Dans cette note historique, Sédillot emploie pour la première fois
le mot "microbe" (du grec *mikros*, petit et *bios*, vie), néologisme qu'il
a créé avec l'aide du lexicographe Émile Littré, pour désigner
l'ensemble des êtres infimes, animalcules ou vibrions, bactéries,
corpuscules ou bâtonnets, qui constituent la vie à l'état
microscopique.
La conclusion de l'auteur scellait la reconnaissance de la théorie
pasteurienne : « Nous aurons assisté à la conception et
à la naissance d'une chirurgie nouvelle, fille de la science
et de l'art, qui ne sera pas une des moindres merveilles
de notre siècle. »
Le mot s'imposa immédiatement. Pasteur, ses élèves
et ses successeurs allaient convaincre
le public de l'importance de ce nouvel
acteur dans notre société.

LES LEÇONS
DE L'ATTÉNUATION

Dès lors un champ nouveau
s'ouvre à l'expérimentation. Guidé
par le fil d'Ariane de l'atténuation, Pasteur n'a de cesse que
d'appliquer ce principe à
d'autres maladies.
Ainsi, pour le charbon, la
solution est là, à portée de
main, quand Toussaint annonce
qu'il peut vacciner des moutons
avec du sang charbonneux filtré
et chauffé. La stupéfaction pas-
sée, Pasteur veut vérifier, contrôler... L'efficacité de la méthode
s'avère rapidement incertaine.
Pourtant, Toussaint s'est engagé

dans la bonne voie. Pasteur retourne à son laboratoire, dans la fièvre de trouver le vaccin.

Une difficulté surgit alors : le vieillissement ne suffit pas à affaiblir la bactéridie, à cause de sa capacité à produire des spores, c'est-à-dire des formes bactériennes qui résistent indéfiniment à l'influence de l'oxygène et du temps.

Il faut rechercher une autre méthode d'atténuation. Aidé de Chamberland et Roux, il soumet la bactéridie à l'épreuve de la chaleur, à toutes les gammes de température. À 42 °C environ, la bactéridie peut être encore cultivée mais ne forme plus de spores, sa virulence s'atténue peu à peu. Et ramenée à environ 30 °C, elle produit à nouveau des spores qui conservent l'atténuation. L'obstacle est surmonté, il est possible de fixer l'atténuation de la virulence.

UN GRAND RENDEZ-VOUS

L'épreuve décisive qui démontrera l'efficacité de la vaccination anticharbonneuse a lieu à Pouilly-le-Fort, en mai 1881. Les détracteurs n'ont pas baissé la garde et l'entourage reste méfiant. Le protocole de la vaccination est suivi à la lettre. La réussite s'avère totale... et Pasteur triomphe.

Aussitôt, l'expérimentation commence et, le 21 mars 1881, Pasteur et ses collaborateurs peuvent annoncer la possibilité effective de protéger contre

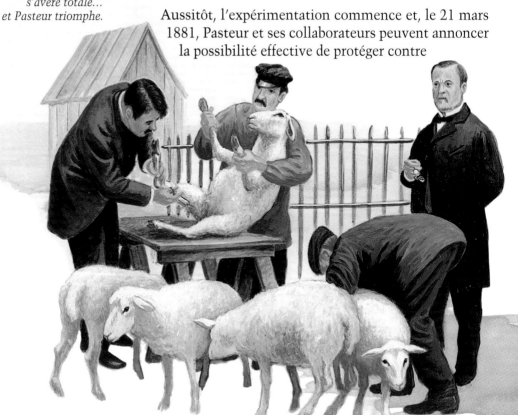

le charbon. L'Académie applaudit, les agriculteurs les plus attentifs s'enthousiasment ; il ne manque plus que l'occasion
d'appliquer une opération qui a réussi au
laboratoire. Celle-ci se présente grâce à un
vétérinaire de Melun, Hippolyte Rossignol, qui mobilise quelques fermiers de
Brie pour financer une expérience à
grande échelle. Tous souscrivent à l'initiative, pour certains avec le sournois
espoir de confondre le "microbiâtre". Sûr
de sa méthode, Pasteur accepte l'épreuve.
Le 5 mai au matin, la ferme de Rossignol
à Pouilly-le-Fort, théâtre des opérations,
est envahie par un public varié où se
mêlent agriculteurs, vétérinaires, hommes
politiques, journalistes et badauds.
Au milieu de cette assemblée, cinquante-
huit moutons, dix vaches, deux chèvres
apportent leur tribut à l'événement. Le
programme abondamment distribué suscite excitation ou curiosité. Dix moutons
sont gardés comme témoins à tous les
stades du protocole. Vingt-quatre mou-

tons, six vaches, une chèvre reçoivent deux inoculations vacci-
nales à douze jours d'intervalle, les 5 et 17 mai. Le restant
ne subira aucun traitement. Le 31 mai, on injecte une culture
infectieuse à tous les animaux, vaccinés et non vaccinés. Puis
c'est l'attente jusqu'au 2 juin, date fatidique des résultats.

TRIOMPHE À POUILLY-LE-FORT

La nuit qui précède se passe dans l'angoisse. Pasteur doute.
Pourtant, un télégramme signé Rossignol parvient à l'École normale : « Succès épatant. » Pasteur, Chamberland et Roux se
précipitent à Pouilly-le-Fort où une foule nombreuse acclame
leur triomphe complet. Tous les animaux non vaccinés ont péri
ou se meurent, les vaccinés se portent à merveille.
Pasteur savoure sa victoire, encore qu'il avait de bonnes raisons de trembler. La hardiesse du protocole, prévoyant une réus-

*Le retentissement
des travaux de Pasteur rallie
l'adhésion des milieux
scientifiques, des indus-
triels, des agriculteurs.
À partir de cette date,
honneurs et hommages vont
affluer. Bustes, monuments,
rues, plus tard timbres-poste,
billets de banque, médailles…
Cependant, toute gloire
suscite envie ou ironie :
le sauveur des moutons
est ici caricaturé en
"bon pasteur".*

site de 100 %, défiant les lois de la statistique, l'exposait à un grand risque. Son esprit polémique et sa foi en la science balayent les reproches de son imprudence : « La fortune aide les audacieux. »

La nouvelle de l'efficacité de la vaccination anticharbonneuse se propage rapidement, Pasteur lui-même en assure la promotion dans les campagnes françaises, secondé par ses émissaires Chamberland et Roux. Un an après la désormais célèbre expérience de Pouilly-le-Fort, environ 400 000 animaux ont été vaccinés.

UNE GLOIRE INTERNATIONALE

Les marques de reconnaissance se manifestent par des récompenses nationales : 12 000 F en 1874 ; 20 000 F en 1883. Pasteur accepte avec une réelle satisfaction les hommages qui lui parviennent de tous côtés. Bien qu'il s'en défende, la gloire le flatte mais elle lui est aussi un aiguillon pour aller plus avant. N'est-elle pas surtout la juste consécration de sa lutte acharnée ?

Élu à l'Académie française au siège d'Émile Littré, grand-croix de la Légion d'honneur : à ces marques officielles s'associe un concert unanime venant de France et de l'étranger. Chaque congrès international, à Londres, à Genève, plus tard à Édimbourg ou Copenhague, est l'occasion d'un triomphe nouveau.

À ce moment, on l'a vu, le laboratoire, vaste champ d'expériences, avance sur plusieurs fronts. Après le choléra des poules et le charbon, le rouget du porc est combattu par un vaccin. Mais ce ne sont toujours que des pathologies animales. Comment parvenir à l'homme ?

« CE MAL QUI RÉPAND LA TERREUR... »

Dans le dédale des maladies infectieuses, Pasteur choisit la rage. Pourquoi celle-ci, qui tue au grand maximum une centaine de personnes par an, alors que les victimes de la tuberculose, de la diphtérie, par exemple, se comptent par milliers ? D'abord parce qu'elle affecte non seulement l'homme mais aussi l'animal sur lequel il peut expérimenter. De plus, elle a toujours

Ce grand plat, dû au céramiste jurassien Max Claudet, est l'un des exemples des images qui glorifient Pasteur et son œuvre. La postérité saura les multiplier.

JENNER INVENTE LA VACCINATION, PASTEUR INVENTE LES VACCINS

Le concept d'immunité acquise sur lequel est fondé la vaccination est très ancien. Ainsi le Grec Thucydide (Ve siècle av. J.-C.) rapporte que ceux qui guérissaient de la peste ne couraient plus le risque d'en être victimes par la suite.

La première vaccination est due à l'Anglais Edward Jenner (1749-1823) qui avait découvert que l'on pouvait protéger les humains contre la variole en leur inoculant de la vaccine, maladie habituellement rencontrée chez les bovins, semblable à la variole mais bénigne. Quoique d'une importance extrême – elle a permis par la suite l'éradication complète de la variole –

la découverte de Jenner reposait sur une circonstance exceptionnelle, à savoir l'existence, chez l'animal, d'une maladie proche de la maladie humaine et dont l'agent provoquait une immunisation chez l'homme.

Pasteur montra comment on pouvait utiliser les agents infectieux eux-mêmes pour obtenir l'immunisation, selon des procédés généralisables à un grand nombre de maladies. Et c'est en l'honneur de Jenner que le savant proposa lui-même d'étendre l'utilisation du mot "vaccination" (du latin *vacca*, vache) à l'immunisation contre d'autres maladies que la variole.

Où peut se localiser le virus de la rage ? On le cherche dans le sang, dans la salive. Au laboratoire ou à l'École vétérinaire de Maisons-Alfort, les tentatives de prélèvements dans la gueule du chien ne sont pas sans risques graves.

fasciné l'imagination populaire, elle est la quintessence de l'effroi et du mystère, « ce mal qui répand la terreur ». Pour Pasteur, vaincre la rage, c'est ainsi assurer la victoire définitive de ses théories. Pourtant le problème apparaît d'emblée très difficile : le microbe de la rage est invisible au microscope – on sait maintenant qu'il s'agit d'un virus qui ne sera observé qu'en 1962 au

LE DOMAINE
DE VILLENEUVE-L'ÉTANG

Dans son rapport au ministre de l'Instruction publique, la commission de la rage, présidée par Bouley, exprime le désir que les expériences puissent être poursuivies dans un vaste chenil. On attribue alors à Pasteur le domaine de Villeneuve-l'Étang à Marnes-la-Coquette, ancienne propriété de Napoléon III où s'élevaient les écuries des Cent Gardes dépendant du château impérial incendié en 1871. Dans ces écuries aménagées, Pasteur poursuit ses travaux sur la rage. Trop faible pour voyager vers Arbois, c'est là qu'il passe son dernier été et meurt, le 28 septembre 1895. Plus tard, Roux y conduira ses recherches sur la sérothérapie et Gaston Ramon découvrira les vaccins antidiphtérique et antitétanique.

microscope électronique – et ne peut être cultivé dans aucun milieu. Les expériences n'en commencent pas moins en décembre 1880. Instruit par les récents travaux du docteur Duboué, de Pau, Pasteur retient que le virus rabique se propage par les nerfs et que son siège réside dans le cerveau et la moelle épinière.

INJECTIONS EN CHAÎNE

Pasteur prélève un fragment de cerveau d'un chien enragé et le porte dans le cerveau d'un autre chien par trépanation. L'animal contracte en effet la rage qui, de plus, se manifeste dans des délais rapprochés, supprimant la longue et déprimante attente de l'incubation. Divers animaux sont testés ; on adopte finalement le lapin. Chloroforme, trépan, injections… Dès qu'un animal meurt, on inocule sa moelle dans le cerveau d'un autre lapin, on répète l'opération du second au troisième, et ainsi de suite, sans relâche. Après une centaine de passages successifs, Pasteur parvient à stabiliser le temps d'incubation à sept jours ; le virus est devenu un virus "fixe", aussi immuable dans son mode d'action que l'est un microbe entretenu en culture pure. Enfin le virus est maîtrisé ! Il s'agit de l'atténuer.
La solution va émerger à partir d'une initiative de

Le virus de la rage tel qu'il nous est connu aujourd'hui. Trop petit pour être vu au microscope optique, il faudra attendre 1962 pour que le Japonais Matsumoto puisse l'observer grâce au microscope électronique.

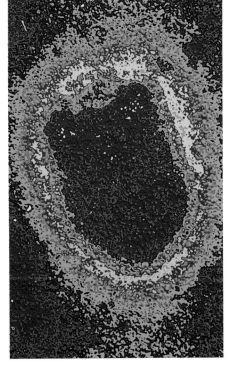

*Une moelle épinière
de lapin, infectée,
est suspendue dans un flacon
à l'action de l'air. Déposés
au fond, des morceaux
de potasse absorbent
l'humidité. La virulence
du virus rabique
s'atténue peu à peu
au contact de l'oxygène.*

*"J'avoue que jamais je n'ai
songé, en pensant
à une maladie, à lui trouver
un remède, mais toujours,
au contraire, à trouver
une méthode capable
de la prévenir", dira
Louis Pasteur en mai 1884.*

Roux dont Pasteur s'inspire. Il suspend une moelle de lapin infecté dans un flacon garni de potasse. Ainsi exposée à l'action de l'air pendant quatorze jours, la moelle se dessèche, sa virulence décroît par degrés.

On peut l'injecter à un chien qui supporte successivement des émulsions de moins en moins atténuées. Après avoir reçu comme dernière injection de la moelle fraîche virulente, le chien se révèle réfractaire à la rage.

Le 25 février 1884, Pasteur, avec Chamberland et Roux, annonce cette découverte à l'Académie, en même temps qu'il demande que soit instituée une commission de savants éminents pour vérifier ses résultats. Des dizaines de chiens, vaccinés, témoins, mordus, sont sévèrement contrôlés. La méthode est concluante, la commission approuve.

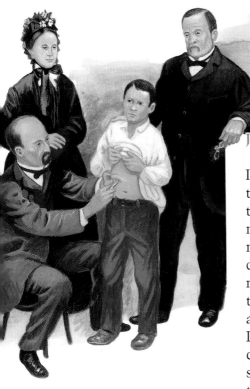

Pasteur n'étant pas médecin, c'est au docteur Grancher que revient le soin de pratiquer la première injection du vaccin antirabique à Joseph Meister. Commencé le 6 juillet 1885, le traitement s'étale sur dix jours, dans l'angoisse.

JOSEPH MEISTER, ÂGÉ DE NEUF ANS...

Il reste alors à tenter l'épreuve suprême : appliquer le traitement à l'homme. Une telle décision angoisse Pasteur au plus haut point. « Il me semble que la main me tremblera quand il faudra passer à l'espèce humaine. » La tentation pourtant est grande. La longue durée d'incubation – un mois ou plus – permet, en prenant de vitesse l'apparition des premiers symptômes, d'établir l'immunité alors même que le sujet a été mordu.

D'étranges solutions lui viennent à l'esprit. Celle de commencer sur lui-même, ce qui n'engage que sa personne ; puis celle, assez stupéfiante, d'éprouver le traitement sur des condamnés à mort ! Mais, souvent imprévisibles, les événements commandent.

Le 6 juillet 1885 au matin, l'arrivée d'un enfant de neuf ans, venu de Steige en Alsace et accompagné de sa mère et de Théodore Vonné, l'épicier du village voisin, précipite la décision. Joseph Meister a été attaqué

PASTEUR ET LA POLITIQUE

« La politique et la sociologie sont des sciences où la preuve est trop difficile à donner. Là où les passions humaines interviennent, le champ de l'imprévu est immense », proclame Pasteur dans son discours de réception à l'Académie française, en 1882. Preuve s'il en est que le rigoureux expérimentateur se défie de la politique.

Le cuisant échec de sa candidature aux élections sénatoriales du Jura en 1875 – il arrive bon dernier avec 62 voix – est révélateur de son inaptitude à l'art politique.

Pasteur traverse les régimes successifs : monarchie de Juillet, IIe République, Second Empire, IIIe République, en s'accommodant de chacun.

Car le scientifique révolutionnaire est un citoyen conservateur. Il attend des gouvernements l'assurance de l'ordre social et moral indispensable, selon lui, au développement économique.

Grandi dans une atmosphère bonapartiste, Pasteur est acquis au Second Empire dont il ignore superbement le despotisme. Les promesses de paix, d'ordre et de grandeur suffisent à le rassurer. En fait, il ne croit véritablement qu'à la science, source de progrès et de prospérité, et multiplie les suppliques pour convaincre de combler, en ce domaine, le retard de la France.

Peu importent l'absence de nom et la faute d'orthographe, la confiance naïve de l'expéditeur a guidé sa lettre vers le destinataire.

Assimilé à l'ange exterminateur, le dessinateur a représenté Pasteur brandissant une seringue au-dessus d'un chien, pour vaincre la rage.

quatorze fois par le chien de Vonné. Seul l'avis des médecins vite consultés peut lever les hésitations. Grancher et Vulpian redoutent une issue fatale pour l'enfant ; il faut passer à l'acte. Le soir même, soixante heures après avoir été mordu, Joseph reçoit une première inoculation de moelle atténuée de deux semaines. Le 16 juillet, le Dr Grancher achève une série de douze injections par une émulsion virulente. Sans troubles apparents, Meister retourne en Alsace. Pasteur se réfugie à Arbois, dans l'attente anxieuse des nouvelles du petit mordu. Au bout de trois mois, la guérison paraît évidente et, le 26 octobre 1885, devant l'Académie des sciences, Pasteur rapporte une nouvelle méthode de prophylaxie contre la rage.

UN PRODIGIEUX SUCCÈS

Dans la même communication, il annonce un deuxième traitement en cours, celui de Jean-Baptiste Jupille, jeune berger jurassien de quinze ans : le 14 octobre, celui-ci avait courageusement maîtrisé un chien enragé qui attaquait des enfants, non sans se faire mordre lui-même gravement. Tous les rangs de l'Académie acclament ce prodigieux succès dont les journaux se font l'écho dès le lendemain. La vague d'enthousiasme franchit les frontières.

De tous horizons, les patients se pressent rue d'Ulm. De France, d'Europe, d'Algérie… De Newark, quatre enfants américains ont traversé l'Atlantique grâce à une souscription du *New York Herald*. De Smolensk, dix-neuf Russes mordus par un loup viennent subir le traitement. Le 22 août 1886, ils sont déjà 1 986 et on dénombre vingt et un morts (soit 1 % au lieu des 16 à 40 % habituellement recensés). Parmi eux, un décès qui a bouleversé Pasteur : une fillette de dix ans, Louise Pelletier, venue trop tard, 37 jours après la morsure.

Le laboratoire contient avec peine le défilé perpétuel. Aussi, dès le 1er mars 1886, l'Académie des sciences a-t-elle adopté le vœu émis par Pasteur : la création d'un établissement vaccinal contre la rage. Ce sera l'Institut Pasteur.

« DÉLIVRER L'HOMME DES FLÉAUX
QUI L'ASSIÈGENT... »

Une souscription internationale est ouverte sur-le-champ. Les dons affluent, le *Journal officiel* publie une liste ininterrompue où se confondent richissimes et modestes souscripteurs. Un an plus tard, les fonds recueillis atteignent 2 millions de francs or.

Au milieu de terrains maraîchers, dans le quartier de Vaugirard, bientôt s'élèvent des bâtiments où l'œuvre pasteurienne sera poursuivie. Car dans l'esprit de ses fondateurs, l'Institut Pasteur n'est pas destiné seulement à la prophylaxie de la rage. Ses laboratoires, que l'on a voulus les plus modernes du temps, sont consacrés à la recherche scientifique, au perfectionnement et à l'enseignement de toutes les branches de cette science nouvelle, la microbiologie.

Le peintre Émile Bayard a restitué une scène de vaccination, rue d'Ulm. Une foule variée (les Russes de Smolensk, au centre) attend de subir l'inoculation pratiquée par le docteur Grancher (à droite). Sous la houlette de Pasteur (à gauche), chacun entre à l'appel de son nom.

L'inauguration a lieu le 14 novembre 1888, en présence du président de la République Sadi Carnot. Affaibli par un récent malaise, très ému, Pasteur a chargé son fils Jean-Baptiste de lire son discours. Un texte où se mêlent mélancolie, fierté, foi scientifique et qui s'achève par ces mots :

« S'il m'était permis de terminer par une réflexion philosophique [...] je dirais que deux lois contraires semblent aujourd'hui en lutte : une loi de sang et de mort qui [...] oblige les peuples à être toujours prêts pour le champ de bataille et une loi de paix, de travail, de salut, qui ne songe qu'à délivrer l'homme des fléaux qui l'assiègent. »

UNE MOISSON D'HOMMAGES

À l'heure où s'organisent les cinq premiers laboratoires du nouvel institut, Pasteur a déjà engrangé honneurs, diplômes, titres académiques et décorations. La gloire l'a rejoint de son vivant. Des adresses d'hommages, des télégrammes de félicitations en nombre ajoutent à la reconnaissance universelle. À ces éloges, Pasteur répond en proclamant sa confiance en l'avenir qui « appartiendra à ceux qui auront le plus fait pour l'humanité souffrante » et lance un dernier message à la jeunesse du monde : « Ne vous laissez pas atteindre par le scepticisme dénigrant et stérile. [...] Vivez dans la paix sereine des laboratoires et des bibliothèques. »

Pasteur est heureux : s'il participe moins activement au travail, spectateur attentif, il se tient au courant des recherches en cours, des expériences qu'il anime de ses conseils. L'œuvre est bâtie, le relais assuré.

Les bâtiments, les laboratoires constituent l'héritage matériel. Il en est un autre, plus subtil et profond, qui inspirera pour longtemps les gestes des biologistes.

Pasteur est à l'origine d'un mode de pensée qui relie indissociablement la théorie et ses applications possibles. Il a montré l'importance de la rigueur expé-

*Nombreuses ont été les invitations à assister
à l'inauguration de l'Institut Pasteur, ce 14 novembre 1888.
Pour en garantir indépendance et souplesse, Pasteur
lui donne les assises d'un statut qui le consacre
"établissement privé, reconnu d'utilité publique".*

*Un hommage international a lieu le 27 décembre 1892. À l'initiative
du Danemark, un comité est constitué pour fêter le 70ᵉ anniversaire
du savant. Le jubilé est célébré dans le grand amphithéâtre
de la Sorbonne avec un extraordinaire éclat, en présence du président
Sadi Carnot. La foule des délégations scientifiques venues du monde
entier, réunie à tout ce que la France compte d'illustre, assiste
à l'accolade de Pasteur et de Joseph Lister (au premier plan, bras tendus).*

rimentale, de l'esprit critique, compléments indispensables de
l'intuition. Par ses audacieuses expériences, son énergie à combattre le scepticisme, il a montré que la passion n'exclut pas
la démonstration.

Il a étayé les bases de son édifice en confiant la responsabilité
des cinq services à Roux, Duclaux, Chamberland, Grancher
– les fidèles collaborateurs – mais aussi à un nouveau venu,
le Russe Metchnikoff qui vient de découvrir le phénomène de
la phagocytose. Dans leur sillage, une génération de jeunes chercheurs s'apprête à poursuivre le chemin qu'il a tracé.

Le bureau de Pasteur dans son appartement à l'Institut Pasteur où il va vivre les sept dernières années de sa vie. L'ensemble est conservé dans son état d'origine, avec tous ses meubles, objets, tableaux, pour la plupart témoignages des jours de gloire. Lieu de mémoire qui nous permet de côtoyer l'intimité du savant.

LA MORT DE PASTEUR

Le 1er novembre 1894, une crise d'urémie terrasse le vieil homme usé. Pendant deux mois, ses élèves se relaient jour et nuit à son chevet. Au nouvel an, Alexandre Dumas lui apporte

LABORATOIRES, TEMPLES DE L'AVENIR

« Laboratoires et découvertes sont des termes corrélatifs. Supprimez les laboratoires, les sciences physiques deviendront l'image de la stérilité et de la mort. Elles ne seront plus que des sciences d'enseignement, limitées et impuissantes, et non des sciences de progrès et d'avenir. Rendez-leur les laboratoires, et avec eux reparaîtra la vie, sa fécondité et sa puissance. Hors de leurs laboratoires, le physicien et le chimiste sont des soldats sans armes sur le champ de bataille. (...)
Si vous êtes jaloux de la part que votre pays peut revendiquer dans l'épanouissement de ces merveilles, prenez intérêt, je vous en conjure, à ces demeures sacrées que l'on désigne du nom expressif de laboratoires. Demandez qu'on les multiplie et qu'on les orne : ce sont les temples de l'avenir, de la richesse et du bien-être. C'est là que l'humanité grandit, se fortifie et devient meilleure. »
Louis Pasteur in *Le budget de la France*, 1er février 1868.

ses vœux et un bouquet de roses. Le 13 juin 1895, Pasteur, trop faible pour supporter le voyage d'Arbois, part en voiture pour le domaine de Villeneuve-l'Étang à Marnes-la-Coquette, non loin de Paris. Là, malgré le repos sous les calmes ombrages du parc, les forces du malade déclinent lentement. Le samedi 28 septembre à 4 h 40 de l'après-midi, Louis Pasteur s'éteint.

Du monde entier, prix, titres académiques, distinctions honorifiques, diplômes, décorations sont décernés à Pasteur. Ici l'ordre de la Rose du Brésil conféré par l'empereur Pedro II (1825-1891), l'un de ses correspondants privilégiés et parmi les premiers souscripteurs de l'Institut.

La dernière photographie du savant le représente assis dans les jardins de l'Institut Pasteur. Au sommet de sa gloire, le vieillard fatigué mais digne partira peu après à Marnes-la-Coquette où il s'éteint le 28 septembre 1895.

Une foule compacte, innombrable, s'est rassemblée sur le parcours du convoi funèbre. Tiré par six chevaux caparaçonnés, le char est suivi par tous les corps constitués, délégations de sociétés, de ministères français et étrangers. À l'issue de la cérémonie, devant le catafalque dressé sur le parvis de Notre-Dame, Raymond Poincaré, ministre de l'Instruction publique, prononce le seul discours officiel : "... L'avenir le rangera dans la radieuse lignée des apôtres du bien et de la vérité."

À l'annonce du décès, le gouvernement décrète des obsèques nationales. Le corps est transporté dans une chapelle ardente dressée à l'Institut Pasteur où le public défile pendant quatre jours. Le 5 octobre, dans la pompe officielle, à l'égal de celle déployée pour Victor Hugo dix ans auparavant, le char mortuaire s'ébranle vers Notre-Dame. Accompagné par tout un peuple qui le reconnaît bienfaiteur de l'humanité, Pasteur entre dans la légende.

LA DERNIÈRE DEMEURE

Aurait-il souhaité rejoindre les siens dans la terre franc-comtoise du cimetière d'Arbois ? Le Panthéon l'attend, mais il sera inhumé au cœur même de son Institut, dans une crypte aménagée au sous-sol du bâtiment principal. C'est le souhait de la famille qui tient également à supporter tous les frais de construction de la chapelle, investissement fastueux qui s'élèvera à plus de 82 000 francs.

En attendant l'achèvement des travaux, la dépouille de Pasteur est déposée à Notre-Dame. La translation a lieu le 26 décembre 1896. Désormais, il repose sous un sobre tombeau de granit dominé par des voûtes en mosaïques polychromes à fond d'or où s'inscrivent, en images allégoriques, tout un bestiaire et des entrelacs de feuillages. Chacune des découvertes pasteuriennes, gravée dans le marbre précieux qui lambrisse les murs, signe autant de victoires remportées sur l'ignorance.

Sur la coupole surplombant le tombeau se détachent quatre anges, symboles des trois vertus théologales – la Foi, la Charité, l'Espérance – auxquelles on a voulu ajouter la Science. Avec ses chiens, lapins, poules, moutons, vaches, pampres de vigne, branches de mûrier évoquant les travaux de Pasteur, l'œuvre apparaît très représentative de l'époque symboliste. (En détail : l'affrontement du jeune Jupille avec un chien enragé.) La famille de Pasteur s'est assurée le concours d'artistes célèbres : l'architecte Charles-Louis Girault, grand prix de Rome, le mosaïste Auguste Guilbert-Martin et le peintre Luc-Olivier Merson.

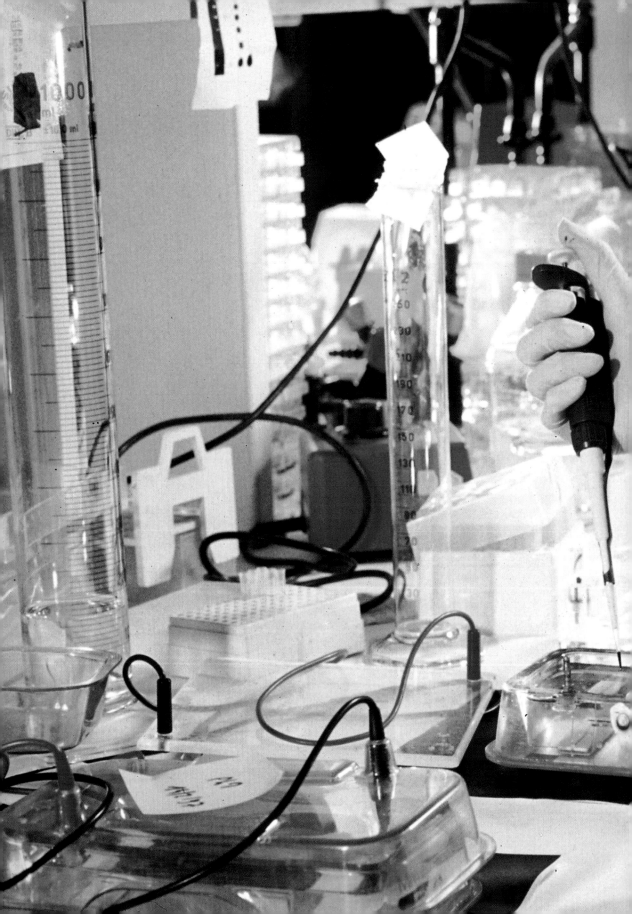

L'héritage de Pasteur

Les développements de la biologie et de la recherche sont plus que jamais nécessaires pour approfondir la connaissance des maladies, la mise au point de méthodes de diagnostic, de vaccins et de moyens thérapeutiques. Mais en dépit d'impressionnants succès, l'enjeu reste considérable : les anciens fléaux ne sont pas vaincus ou renaissent, de nouveaux apparaissent… Cinq exemples choisis parmi toutes les maladies infectieuses en témoignent.

Émile Roux (1853-1933) met au point la sérothérapie. Le sérum aide à combattre la diphtérie qui terrifie les familles.

LA DIPHTÉRIE

À l'époque de Pasteur, la diphtérie, qu'on appelait aussi *croup*, était l'une des causes majeures de décès chez les enfants. La gorge envahie d'épaisses membranes, ils mouraient dans des conditions d'étouffement horribles. En France, on comptait plusieurs dizaines de milliers de cas chaque année. En 1888, Émile Roux et Alexandre Yersin découvrent la toxine diphtérique produite par la bactérie responsable. Deux ans plus tard, en Allemagne, Emil Behring et Kitasato identifient l'antitoxine dans le sérum d'animaux auxquels a été injectée la toxine, premier exemple de ce qu'on appellera plus tard les anticorps. À la suite de ces travaux, Roux et ses collaborateurs mettent au point une méthode de traitement en 1894. Il s'agit de recueillir le sérum de chevaux inoculés avec la toxine. Injecté aux enfants, il leur apporte le "contrepoison" dont ils ont besoin. C'est la naissance de la sérothérapie qui, en quelques mois, abaisse la mortalité chez les diphtériques de 52 à 24 %.

Gaston Ramon découvrira plus tard, en 1926, comment obtenir des anatoxines, toxines rendues inactives par un traitement au formol, ouvrant la voie à l'immunisation préventive contre la diphtérie et le tétanos. Ces vaccins, que nous avons tous subis, ont permis de faire pratiquement disparaître ces maladies des pays développés. Cependant, la récente recrudescence de la diphtérie dans les pays d'Europe de l'Est, notamment en Russie, a conduit le ministère de la Santé à créer, à l'Institut Pasteur, un centre national de référence sur les corynébactéries, dont fait partie le bacille diphtérique.

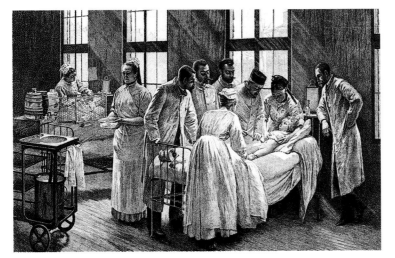

À l'hôpital des Enfants malades, à Paris, en présence d'Émile Roux, un enfant reçoit le sérum antidiphtérique. C'est là qu'ont lieu les premiers essais, de février à juillet 1893.

LA PESTE

Voici le "châtiment de Dieu", l'un des fléaux les plus terrifiants de l'histoire de l'humanité. C'est à plusieurs pasteuriens que revient le mérite d'en avoir découvert la cause, la façon dont elle est transmise et les premières méthodes de lutte efficace.

Le bacille de la peste fut isolé par Alexandre Yersin. Jeune médecin, il travaille à l'Institut Pasteur qu'il choisit ensuite de quitter, attiré par l'exotisme. Il explore depuis deux ans l'arrière-pays indochinois quand éclate une épidémie de peste dans le sud de la Chine. Le gouvernement français l'envoie à Hong Kong pour tenter d'isoler le microbe responsable. Malgré de difficiles conditions de travail, Yersin identifie celui-ci le 22 juin 1894, sept jours après son arrivée ! En son honneur, le bacille prendra ultérieurement le nom de *Yersinia pestis*.

Alexandre Yersin (1863-1943) découvre le bacille de la peste en 1894. L'année suivante, il fonde l'Institut Pasteur de Nha Trang auquel il consacrera le reste de sa vie. Aujourd'hui encore, il est vénéré par la population vietnamienne.

LES PASTEURIENS PRIX NOBEL DE MÉDECINE

- **1907 Alphonse Laveran**
  "pour ses travaux sur le rôle de protozoaires comme agents de maladies" (découverte de l'agent du paludisme en 1880).
- **1908 Élie Metchnikoff**
  "pour ses travaux sur l'immunité" (découverte des phagocytes et de la phagocytose en 1882, et de l'immunité cellulaire).
- **1919 Jules Bordet**
  "pour ses découvertes concernant l'immunité" (mise en évidence du rôle des anticorps et du complément).
- **1928 Charles Nicolle**

"pour ses travaux sur le typhus" (découverte du rôle du pou dans la transmission du typhus).
- **1957 Daniel Bovet**
  "pour ses découvertes sur les produits de synthèse qui inhibent l'action de certaines substances de l'organisme et plus spécialement leur action sur le système vasculaire et les muscles du squelette" (découverte sur les antihistaminiques et les curarisants de synthèse).
- **1965 François Jacob, André Lwoff et Jacques Monod**
  "pour leurs découvertes sur la régulation génétique de la synthèse des enzymes et des virus".

Fondateur de l'Institut Pasteur de Saigon, puis de celui de Lille, Albert Calmette (1863-1933) est chargé de construire à Paris les bâtiments qui abriteront les laboratoires consacrés à la tuberculose et au BCG. Ci-dessus, des laborantines vers 1935.

Autre figure pasteurienne, Paul-Louis Simond, au cours d'une mission en Inde en 1898, met en évidence le rôle de la puce dans la transmission de la peste. La découverte, fondamentale, soulignera l'importance de l'intervention des insectes dans la propagation des maladies de l'homme.

À partir des souches expédiées d'Asie par Yersin, Calmette et Borrel produisent le sérum antipesteux, premier moyen thérapeutique utilisé contre cette maladie. Plus tard, à l'Institut Pasteur de Madagascar, Girard et Robic mettent au point un vaccin atténué efficace (1930-1931). Une campagne de vaccination menée dans ce pays l'année suivante fait chuter le nombre de cas annuels de quatre mille à deux ou trois cents.

De nos jours, les traitements antibiotiques permettent le plus souvent de guérir la maladie. Cependant, une découverte récente a semé l'inquiétude : en septembre 1997, des équipes des instituts de Paris et Tananarive ont décrit chez un patient malgache une souche de *Yersinia pestis* résistante aux antibiotiques. Les gènes de résistance étant portés par un plasmide, c'est-à-dire un élément génétique aisément transférable d'une bactérie à l'autre, cette découverte a fait naître le spectre d'une épidémie de peste antibio-résistante, donc très difficile à contrôler.

LA TUBERCULOSE

En France, au début de ce siècle, on appelait la tuberculose la "grande tueuse". Maladie infectieuse et contagieuse affectant surtout les poumons, elle entraînait une mortalité annuelle de l'ordre de cent mille personnes. Chacun sait que le microbe de la tuberculose est le "bacille de Koch", baptisé du nom du grand microbiologiste allemand qui l'a découvert en 1881. Les pasteuriens Calmette et Guérin donneront leurs initiales au BCG, le vaccin vivant, composé de bactéries atténuées, le plus utilisé au monde. Grâce au BCG, grâce aux antibiotiques, mais aussi et surtout à l'amélio-

NAISSANCE D'UN RÉSEAU

En décembre 1890, Louis Pasteur envoie Albert Calmette à Saigon créer un laboratoire destiné à produire des vaccins contre la rage et la variole. Dans la Cochinchine d'alors, sans électricité, au confort des plus restreints, le jeune médecin imagine des méthodes de préparation adaptées aux conditions locales. En un an, 500 000 personnes sont prémunies contre la variole. Le séjour dure trente mois. En pionnier, Calmette édifie le premier Institut Pasteur outre-mer. C'est l'aube de cette "épopée pasteurienne" qui voit en quelques années les disciples de Pasteur reproduire dans le monde le modèle mis en place par Calmette. L'œuvre à accomplir est immense, surtout dans les zones tropicales où les maladies infectieuses et parasitaires sont endémiques. Au service du pays dans lequel il est implanté, chaque institut répond aux réalités locales : étude des maladies particulières au climat, à l'environnement, identification des agents responsables, de leurs vecteurs, fabrication sur place des sérums et vaccins nécessaires. Les retombées sont majeures dans la connaissance des maladies infectieuses telles que la peste, le paludisme, le typhus, la fièvre jaune…

SUR LES CINQ CONTINENTS

Aujourd'hui, le Réseau des Instituts Pasteur, réparti sur les cinq continents, perpétue la dimension de l'action pasteurienne : services, santé publique, recherche, enseignement. La grande autonomie des instituts permet à chacun de s'adapter aux priorités locales. Toutefois, les échanges, les programmes communs participent à renforcer les liens d'une "famille" dispersée aux divers points du globe.

Au cours de plus d'un siècle, cette communauté a traversé bon nombre de bouleversements géopolitiques, des guerres, des changements de gouvernements, l'accession à l'indépendance des pays d'implantation ; malgré tous les obstacles et les complexités, liée par l'histoire et des objectifs communs, elle a survécu, s'est développée et reste un ensemble unique au monde.

L'Institut Pasteur de Saigon, le premier fondé hors des frontières de la France (1894). Sur ce modèle, d'autres instituts poursuivent aujourd'hui dans le monde leur mission de santé publique et de recherche scientifique.

ration de l'hygiène, la tuberculose est devenue rare dans les pays développés, au point d'être reléguée comme fléau d'un autre âge. Et pourtant… elle ne cesse de tuer dans les pays du tiers monde (environ trois millions de morts par an) ; elle se réinstalle lentement dans les pays industrialisés, du fait de la précarité des conditions de vie d'une partie croissante de la population et parce qu'elle constitue une maladie dite opportuniste associée au sida.

L'une des raisons de l'échec dans le contrôle de cette maladie est le caractère très relatif de la protection apportée par le BCG. Il n'est vraiment efficace que chez le nouveau-né et a surtout pour effet de réduire l'apparition des formes les plus graves et contagieuses de la maladie.

Cette situation justifiait que des équipes de l'Institut Pasteur se mobilisent à nouveau sur le sujet. En 1998, en collaboration avec une équipe britannique, l'un de ces groupes publie la séquence complète du génome de *Mycobacterium tuberculosis* (4,4 millions de paires de bases, 4 000 gènes). Au-delà de la prouesse technique, ce travail ouvre la voie à une exploration nouvelle de l'antibiothérapie et de la vaccinologie. La même année, une autre équipe décrit une souche atténuée de *M. tuberculosis*, atténuation obtenue par l'inactivation ciblée d'un seul gène. Ces techniques génétiques pourraient permettre la construction de nouvelles souches atténuées au potentiel plus efficace que le BCG.

Une affiche incite à la vaccination en 1949. De nos jours, la tuberculose mobilise encore de nombreuses équipes de chercheurs.

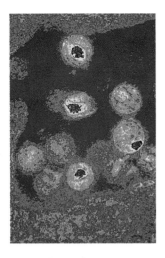

LE SIDA

Dans le sinistre record en matière de mortalité, le sida, qui ne cesse de s'étendre, fait maintenant presque autant de victimes chaque année que la tuberculose ou le paludisme.

Le nom de sida (pour syndrome d'immunodéficience acquise) date de 1982. Pendant plusieurs mois, et parce que la maladie paraissait affecter seulement certains groupes de personnes, notamment des homosexuels, les théories les plus étranges furent proposées sur son origine. La notion que cette maladie est due à un virus émerge durant l'été 1982, lorsqu'il apparaît qu'elle peut être transmise par le sang ou des produits du sang.

La recherche du virus est alors engagée aux États-Unis, sous la direction de Robert Gallo, puis en France. En 1983, il est isolé par l'équipe de Luc Montagnier, à l'Institut Pasteur. La découverte du virus VIH-1, puis celle, en 1985, d'un deuxième virus, le VIH-2, rendent possible la mise au point de tests de diagnostics. Ceux-ci permettent de détecter dans le sang d'un patient la présence d'anticorps spécifiques, marque d'une infection, c'est-à-dire la séropositivité.

L'utilisation de ce test a permis de réduire presque à zéro la transmission du virus par le sang et les produits du sang, au moins dans les pays développés. Malheureusement, elle n'a eu que peu d'effet sur la transmission du virus par voie sexuelle, surtout dans les pays du Sud, où se produit l'essentiel de l'accroissement dramatique de la pandémie.

Outre la mise au point d'un vaccin, les objectifs pasteuriens concernant le sida sont multiples : comprendre pourquoi des sujets séropositifs vont développer rapidement un sida, et d'autres non ; comment le virus tue des cellules-cibles et comment la maladie s'installe ; déterminer le rôle exact de tous les gènes viraux ; mettre au point des tests de diagnostics encore plus performants ; rechercher de nouveaux traitements... dans l'espoir de juguler enfin cette redoutable maladie.

L'étude du virus du sida (en haut) nécessite des laboratoires modernes équipés de nombreux appareils faisant largement appel à l'électronique et à l'informatique.

L'HÉPATITE B

L'hépatite B, grave maladie infectieuse touchant le foie, constitue un problème majeur de santé publique dans le monde entier. On estime que 250 à 300 millions de personnes sont porteuses du virus.

La mise au point d'un vaccin a été difficile du fait que le virus de l'hépatite B ne peut être cultivé *in vitro*. Un premier vaccin fut cependant élaboré à partir des travaux du Dr Maupas, à Tours. Il était constitué de particules virales incomplètes extraites du sérum de personnes infectées de façon chronique. Bien que très efficace, ce vaccin était coûteux et présentait l'inconvénient que sa source – les personnes infectées – tendait à diminuer, précisément du fait de l'emploi du vaccin.

Le groupe de Pierre Tiollais, à l'Institut Pasteur, suivit alors une approche différente, faisant appel au génie génétique. Il fut le premier à cloner et séquencer les gènes du virus de l'hépatite B. Certains de ces gènes furent ensuite introduits dans des cellules animales, qui pouvaient être cultivées *in vitro*. Ces cellules produisent de façon continue des particules identiques à celles que l'on trouve dans le sérum de patients infectés chroniquement. Ce sont ces particules qui constituent l'élément actif du vaccin.

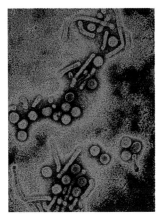

Le vaccin contre l'hépatite B (ci-dessus, le virus responsable de la maladie) est issu de la génétique moléculaire. Des micro-organismes recombinés servent d'"usine" à produire les molécules vaccinantes.

André Lwoff, Jacques Monod et François Jacob à l'annonce de leur prix Nobel, en 1965. Contribuant à l'émergence de la biologie moléculaire, leurs travaux ont porté sur le fonctionnement des gènes, porteurs de notre patrimoine héréditaire.

BIOLOGIE MOLÉCULAIRE ET GÉNIE GÉNÉTIQUE

Outre les recherches sur les maladies infectieuses, l'Institut Pasteur n'a cessé de faire progresser les connaissances sur les mécanismes fondamentaux de la vie.

Ainsi, dans les années 1950, André Lwoff, Jacques Monod et François Jacob ont montré comment les gènes sont exprimés et comment cette expression peut être modulée en fonction des besoins de la cellule. Ils en tirèrent des lois générales sur le fonctionnement des êtres vivants, contribuant ainsi à jeter les bases de la biologie moléculaire, laquelle sous-tend aujourd'hui la quasi-totalité des recherches en biologie. Cette nouvelle discipline a notamment donné naissance au génie génétique, élément essentiel des biotechnologies ; elle a permis des avancées spectaculaires dans des domaines étudiés à l'Institut Pasteur, tels que la différenciation cellulaire et la neurobiologie.

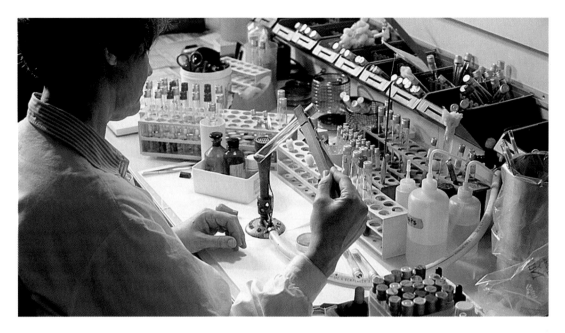

Tout en maintenant et développant ses compétences traditionnelles, l'Institut Pasteur s'est engagé dans de nouvelles orientations. Il s'attache à poursuivre une recherche de haute qualité sans jamais se désintéresser de ses applications, fidèle à l'inspiration de Pasteur.

L'INSTITUT PASTEUR AUJOURD'HUI

L'Institut Pasteur est une fondation privée reconnue d'utilité publique par décret de 1887.

Il est administré par un conseil d'administration qui nomme le directeur. Ses activités concernent en priorité la microbiologie, l'immunologie et les maladies infectieuses, mais également la biologie des systèmes intégrés, la biologie structurale, la biologie du développement et la génétique.

Ses ressources ont une triple origine : le gouvernement, les ressources des activités propres, les dons et legs.

Ses effectifs comptent près de 3 000 personnes, dont 1 200 chercheurs travaillant sur le campus.

L'Institut Pasteur rassemble aujourd'hui :

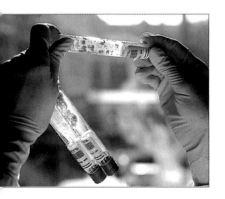

- **Plus de 100 unités et laboratoires** répartis en 10 départements de recherche.
- **Un centre d'enseignement** recevant 300 élèves de toutes nationalités.
- **Des centres de référence**, experts en épidémiologie.
- **Des collections de micro-organismes.**
- **Un centre médical incluant un centre de vaccination.**
- **Un Réseau international de 22 Instituts Pasteur et Instituts associés.**
- **Un centre d'information scientifique.**
- **Deux musées.**
- **Deux photothèques,** scientifique et historique.

**Institut Pasteur : 25-28, rue du Docteur-Roux
75015 Paris - Tél. : 01 45 68 80 00**

- **1822**   *27 décembre* Naissance de Louis Pasteur à Dole (Jura).
- **1831**   Sa famille s'installe à Arbois.
- **1839**   Études secondaires au collège royal de Besançon.
- **1843**   Admission à l'École normale supérieure.
- **1848**   Recherches sur le dimorphisme, première grande découverte.
- **1849**   Professeur à Strasbourg. Mariage avec Marie Laurent.
- **1849-1852**   Études sur les acides tartriques et paratartriques.
- **1854**   Doyen et professeur à Lille.
- **1855**   Début des études de Pasteur sur la fermentation.

- **1857**   *Mémoire sur la fermentation appelée lactique.* Nomination à l'École normale supérieure de Paris (rue d'Ulm).
- **1859**   Début des recherches sur les générations dites spontanées.
- **1861**   Découverte de la vie anaérobie (fermentation butyrique).
- **1862**   Élection à l'Académie des sciences.
- **1863**   Napoléon III demande à Pasteur d'étudier les maladies des vins.
- **1865**   Recherches sur la pasteurisation. Début des recherches sur les maladies des vers à soie.

- **1871-1876**   Recherches sur la bière et la fermentation.
- **1873**   Élection à l'Académie de médecine.
- **1877**   Début des recherches sur les maladies virulentes.
- **1879**   Découverte de l'immunisation au moyen des cultures atténuées.
- **1881**   Expérimentation à Pouilly-le-Fort contre le charbon.
- **1882**   Élection à l'Académie française.

- **1884-1885**   Recherches sur la vaccination contre la rage.
- **1885**   *6 juillet* Inoculation antirabique sur Joseph Meister.
- **1888**   *14 novembre* Inauguration de l'Institut Pasteur.
- **1892**   *27 décembre* Jubilé à la Sorbonne.
- **1895**   *28 septembre* Mort de Pasteur à Marnes-la-Coquette.

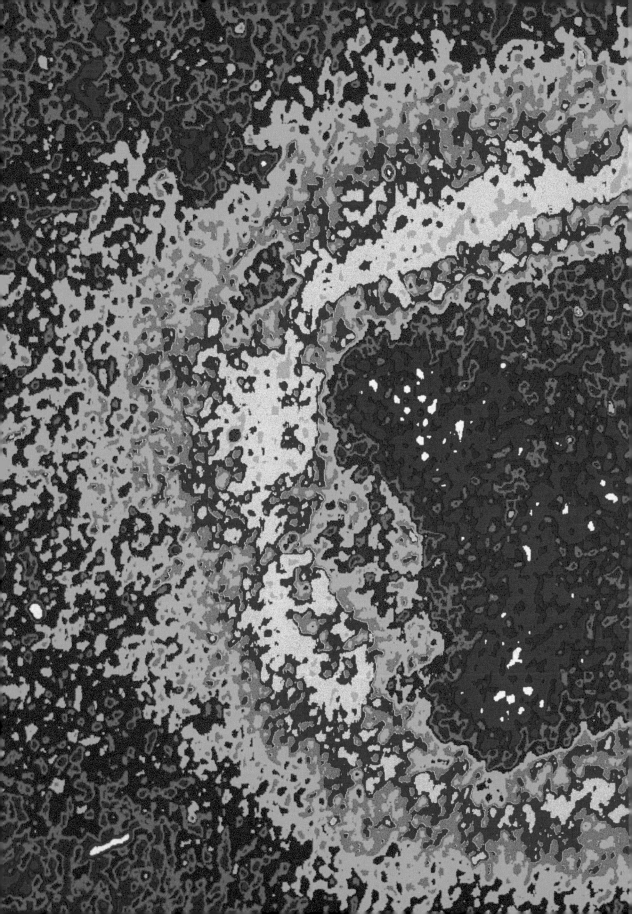